우크라이나 시인의 애타는 호소
(에스페란토 – 한글 대역시집)

시계추(Pendolo)

페트로 팔리보다(PETRO PALIVODA) 지음
장정렬 (Ombro) 옮김

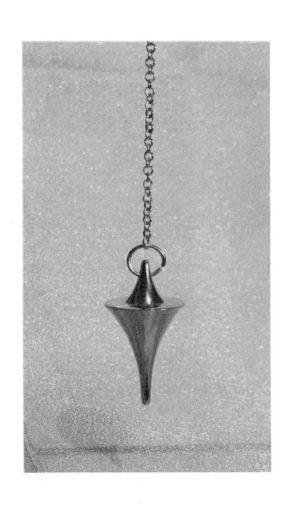

우크라이나 시인의 애타는 호소
(에스페란토 – 한글 대역시집)

시계추(Pendolo)

페트로 팔리보다(PETRO PALIVODA) 지음
장정렬 (Ombro) 옮김

진달래 출판사
(Eldonejo Azalea)

시계추(Pendolo)

인 쇄 : 2023년 8월 14일 초판 1쇄
발 행 : 2023년 8월 21일 초판 1쇄
지은이 : 페트로 팔리보다(PETRO PALIVODA)
옮긴이 : 장정렬(Ombro)
펴낸이 : 오태영(Mateno)
출판사 : 진달래
신고 번호 : 제25100-2020-000085호
신고 일자 : 2020.10.29
주 소 : 서울시 구로구 부일로 985, 101호
전 화 : 02-2688-1561
팩 스 : 0504-200-1561
이메일 : 5morning@naver.com
인쇄소 : TECH D & P(마포구)

값 : 15,000원
ISBN : 979-11-91643-97-8(03890)

차례(Enhavo)

=제1부 Poezio 시집=

=제2부 verkaĵoj 기고문=

2022년 2월 러시아의 우크라이나 침공 관련

=제1부 Poezio 시집=

Versaĵo

mi disŝiros
mian versaĵon
je multaj pecetoj
vortoj
> rimoj
> kaj epitetoj
> kaj ĉio
> kio estis en ĝi
> disflugu
> tra la tuta tero.
> vi provu ĝin rekuniĝi
kunglui
kaj legi
eble vi min
> komprenos.

제 시의 의도는

제 생각을 담은 시를
제가 조각조각 내어.
그 낱말들,
    시 운율과
    수식어들,
    그 전부를
    세상에 날려 보낼 터니,
    여러분이 그 조각조각을
주워 모으고,
또 붙이고
또 읽어 보시면,
제 시가 의도하는 바를
    이해하리라.

Radioricevilo[1]

Mi sentas planedospiron
en raŭko de ricevilo.
Sur ĉiu diapazono
embuskas por mi eventoj.
El nigra kesteto fluas
kaj voĉo sola,
kaj bru' de tribunoj.
Per turno facila de agordilo
mi ŝanĝas planedohumoron.

---

1) *poezia noto: Kiam mi verkis la poemon, mi estis
tre sola, mia amiko estis nur radioricevilo, mi povis
trovi en ĝi ĉion kion mi deziris, kaj povis eĉ ŝanĝi
humoron de la Tero per facila turno de agordilo de
la radioricevilo.

라디오[2]

내 라디오 잡음 사이로
지구의 숨소리가 들려 온다.

주파수마다 갖은 이벤트들이 숨겨 있다.
검정 라디오 상자에서
들리는 잡음 사이로
명료한 목소리 하나가
흘러나온다.

내 라디오 주파수를 돌리면
우리 지구 기분도 쉽사리 바꿔 진다.

---

2) *역주: 작가는 자신이 시를 쓸 때, 유일한 친구는 라디오
라고 한다. 그 라디오 안에서 내가 원하는 바를 찾을 수
있고, 주파수 변경을 통해 지구 기분을 변화시킬 수 있다.

Pordo[3)]

Infaneco...
Homoj surstrate
pri io debatas.

Estas pordo farbata
de l' suno
orkolore.

Mi miras:
kiom da jaroj trakuris –
restis la pordo ora.

---

3) *poezia noto: Tiu orkolora pordo estas mia forta
rememoro el mia infaneco, la plej bona tempo, kiam
ankoraŭ vivis miaj gepatroj kaj mi loĝis en mia
denaska domo, ĝi restos kun mi por ĉiam.

대문[4]

어렸을 때...
사람들이 길에서
뭔가를 두고 다투었는데.

태양이 비치면
대문이 금빛으로 변한다.

놀랍구나:
얼마나 긴 시간이 흘러갔나.
금빛 대문 하나 남았네.

---

4) *역주: 작가의 황금빛 대문은 작가의 어린 시절, 가장 행
복했던 시절을 연상한다고 한다. 당시는 부모님이 생존
해 계시고, 가족이 그 집에서 태어나 살았던 어린 시절의
집. 그 집은 작가의 삶에 영원히 남아 있을 것이라고 한다.

Amo ne havas nomon

Ĝi havas sunon
sur la tuta ĉielo,
blindigan.
Ĝi havas venton,
okulojn per sablo
kovrantajn.
Al kiu mi iras,
blindulo?
De nun ne videblas.

사랑이란 이름이 없더라고요

사랑에는
태양 같은
눈부심이 있어요.
사랑에는
모래바람에 눈을 못 뜨게 하는
성질도 있어요.

시각 장애인 같은 나는
누구를 향해 갈까요?
눈이 부셔 이젠 아무것도 보이지 않아요.

La domo senmuras

Eniru, vagulo,
forĵetu sakon
kaj ĉetabliĝu.

Mirinda pretendo
al konstruistoj:
kreu domojn senmurajn.

집에 벽이 없네요

방랑자여, 들어 와요.
등짐을 벗어던지고
이 탁자에 앉아요.

집 짓는 건축업자에게
놀라운 제안 하나 하고 싶어요:
앞으로 집 지을 때는 벽은 만들지 말아요.

Silento

Literoj, vortoj, propozicioj,
ĉeestas interpunkcio,
vortordo perfekte korekta,
espero kaj ĝojo-malĝojo –
ĉio en sortimento.
En la silabinterplekto
parolas ni per silento.

침묵에는

닿소리 홀소리, 낱말들,
주절과 종속절,
쉼표도 있구나.
어순에 맞는 문장,
희망과 기쁨, 슬픔 –
이 모든 것이 다 들어 있어요.
낱말들이 헝클어지면
우리는 침묵으로 말한다.

Rigardo

Sunaj varmegaj okuloj.
Ombro de birdo sur muro.
Printempa aero
komponas muzikon...
El mia fenestro
ŝajnas la mond'
kvarangula.

눈길

볕에 뜨거워진 나의 두 눈.
벽에는 새(鳥) 그림자.
봄날 공기는
음악을 만들어 놓네...
창문으로 보는
세상은
사각형 같네.

Dezerto

Ni iras daŭre,
Mortas pro soifo.
Ne sun'karesas –
pato ardigita.
Sur niaj langoj
vortoj sufokiĝas.

Oazo...
Ni iris daŭre,
mortis pro soifo.

Miraĝo...

사막

우리는 계속 걷는다.
목말라 죽을 지경이다.
태양이 쓰다듬어주지 않아도-
프라이팬은 달궈지네.
혀에서 말도
나오지 않네.

오아시스...
우리는 계속 걷는다.
목말라 죽었다.

신기루...

Antaŭ forveturo[5]

Muroj silentos
nudaj.
Nigraj skaraboj postnajlaj
mordas leporojn
sunajn.
Iu ĉi tien venos,
diros:
Kia dezerto⋯

---

5) *noto: Mi forlasas la lokon kie mi vivis dum longa
   tempo. Ĉio jam estas forprenita el la ĉambro, nenio
   restas sur la muroj, ne estas bildoj tie, restis nur la
   spuroj de la najloj, sur kiuj estis penditaj la bildoj.
   Tiuj spuroj aspektas kiel nigraj skaraboj. Tuj
   skaraboj ŝajnas mordi la sunradiojn, kiuj kuradas laŭ
   la muroj (en la ukraina lingvo tiaj sunradioj oni
   nomas sunaj leporetoj). Post unu momento mi
   foriros por ĉiam. Iu venos post mi ĉi tiun ĉambron
   kaj vidos malplenan ĉambron — dezertejon, ĉar la
   mondo sen mi fariĝos malplena kaj dezerta.

이삿짐 차량이 출발하기 전에[6]

방 안의 사방 벽은

휑하니 아무 말이 없다.

못이 박힌 자리 여기저기는

검정풍뎅이들처럼

휑하니 토끼 같은 햇볕[7]을 물고 있다.

누가 이 방안을 둘러보면

이리 말하겠네:

휑하니 삭막한 곳이군…

---

6) *역주: 작가가 오랫동안 살던 집을 떠나 이사하는 모습
을 시로 표현함. 방에 있던 가재도구가 모두 밖으로 나갔
고, 벽에 걸린 그림들마저 없다. 오로지 그림들이 걸렸던
못 자국만 남아 있다. 그 모습이 검정풍뎅이 같다. 잠시
뒤면 나는 이곳을 영원히 떠날 것이고, 누군가 내 방에 이
사 오게 될 것이고, 텅 빈 방을 보게 될 것이다. 삭막한 곳
이다. 왜냐하면, 내가 없는 세상은 텅 비고 사막 같기에.
7) *역주: 그림들이 걸렸던 못 자국만 남아 있다. 그 모습이
검정풍뎅이 같다. 그런 풍뎅이들이 벽에 들어선 햇빛을
물고 있는 듯하다. (우크라이나어에서는 그 햇빛을 '토끼
같은 햇빛'이라고 부른다).

Kompreno[8]

Mi komprenas:
Tero estas globo,
duoble du faras kvar,
vintre estas tago plej mallonga,
estas plej varme somere.
Kiel multe mi komprenas!
Kiel malmulte mi komprenas...

***

Ridi –
kiam estas ridinde.
Plori –
kiam estas plorinde.
Feliĉe.
Libere.
Freneze.

---

8) *poezia noto: Mi volas ĉiam esti kun mia amatino:
en feliĉo kaj en malfeliĉo, sur la Tero kaj en la ĉielo.

***

En sunradiaro,
en fajfo de vento,
en frapo de pluvo –
per kiuj kordoj
ni estas ligitaj?
Al mi intertempe ŝajnas,
ke mi jam vivis,
kaj ofte,
ke mi nur komencas
vivi.

***

forĵeti balaston gravan
sin bani en la ĉielo
brulvundi multfoje manojn
tuŝante varmegajn stelojn

kaj esti ĉiam
kun vi apude

***

Maleblas ploro
kiam pluvas.
kunfluas larmoj viaj
kun la nuboj.
Kaj post pluvego –
ĉu ĉielarko,
ĉu rideto.

이해[9]

나는 알고 있다:
이 땅이 지구라고,
2 곱하기 2는 4라고,
가장 짧은 날은 겨울에 있고,
가장 긴 날은 여름에 있음을.
얼마나 많이 알고 있는가!
또 얼마나 조금 알고 있는가...

***

웃는다 -
웃을 일이 있을 때.
운다 -
울 일이 있을 때.
행복하게.
자유롭게.
미친 듯이.

---

9) *역주: 연인과 함께 있고 싶은 시인의 마음을 표현한 시
임.

***

햇살,
바람 소리,
빗방울 듣는 소리 –
우리는 어느 현에
연결되어 소리를 내는가?
그새 나는 자주 느끼네:
내가 살아있구나.
이제야
또 내 삶을 시작하는구나.

***

중요한 균형을 없애버림,
하늘에 풍덩 수영함,
뜨거운 별을 만져
두 손에 화상 입음.

그리고 그대 옆에
언제나 있음.

***

빗소리 들릴 때는

울음소리 소용없고
그대 눈물은
구름과 함께 흐른다.

그리고 폭우가 내린 뒤-
무지개가 보일까요?
웃음이 보일까요?

Ekvilibro

Nek sur la tero
nek en la ĉielo
surfaco limigita estas
per rektlinio[10].
Sin levi en la ĉielon
gravito baras.
Por ne fali sur la teron
ekvilibro necesas.

---

10)*poezia noto: Surfaco ne estas rektlinia, kaj oni
    devas balanci por ne fali surteren. Tion povus diri
    ekvilibristo.

균형[11]

이 땅도 직선으로 되어 있지 않고
하늘도 직선으로 되어 있지 않고
한정된 구역만
직선으로 되어 있다.
하늘을 향해 일어서려니
중력이 방해하네.
땅에 넘어지지 않으려니
균형이 필요하네.

---

11) *역주: 표면이 위에서 보면 반듯하지 않으니, 사람들이
땅에 쓰러지지 않으려면 균형 잡는 것이 필요하다고 시인
은 말한다.

Pendolo

Tien − ĉi tien,
tien − ĉi tien.
Mi haltos −

kaj tempo haltas.
De mi dependas
ĉu morgaŭo estos.

En knar' de ĉeno mia
hieraŭo estis.
Trankvilo mia
morto estas.

시계추

이쪽으로 – 저쪽으로,
저쪽으로 – 이쪽으로
나는 여기 멈출 거야 –

그러면 시각도 멈출 거야.
내일이 올지 아니 올지는
내게 달렸어.

내 시계추 사슬이 끼-익-할 때는
어제가 있었지.
내가 조용하면 –
죽음.

Feliĉo

Estas malvarme,
varme
varmege
kaj ree malvarme.
Mi serĉas feliĉon.
Mi malvarmumis.

행복이란

차갑고
따뜻하고
뜨겁고
다시 차가워지는 것.
나는 행복을 찾아 나선다,
감기들었나 봐.

Sonĝo[12)]

Vi estas sonĝo:
diverskolora,
fabela,
sed ne profeta.
Vekiĝos mi
en postploraj okuloj ripete.
Vi estis sonĝo.

---

12) *poezia noto: Pri malfeliĉa amo, pri amatino kiun
mi povas renkonti nur en miaj sonĝoj.

꿈에서나[13]

그대는 꿈:
다채로운 꿈,
동화 같은 꿈.
하지만 앞일은 알려주지 않네.
나는 꿈 꾼 뒤엔
눈물 어린 눈으로 깨고
꿈에서나 그대를 보았네.

---

13) *역주: 이별한 연인을 꿈에서나 볼 수 있음을 표현하는
시.

Aliplanedanoj

Alflugis ili
kaj miksiĝis inter homojn.
Potencas ili en malprofitigo.
Pro ili estas ĉiuj malfeliĉoj:
rikoltodeficito,
katastrofoj
kaj militoj...
Mi vin petegas:
flugu reen,
por homoj sur la ter'
aranĝu ordon,
pacon
kaj feliĉon...

다른 행성 사람들

다른 행성 사람, 그들이 날아와
사람들과 섞였다.
그들은 손해만 입히고 폭력을 행사하네.
그들이 오자 우리 모두 불행해졌네:
곡식도 거두지 못하고,
재앙이 닥치고
여기저기에 전쟁을 벌이니...
그들에게 간곡하게 요청한다:
제발 돌아가 다오,
이 땅에 사는 사람들의
질서를 위해,
평화를 위해
또 행복을 위해...

Poezio

trovi tiujn unikajn vortojn
por ke ili bruligu fajron
al devojiĝintoj
kaj invitu ĉe tablon
mortantajn pro malsato
kaj ĉiuj aliaj vortoj
estas simple susuro
de truhava tamburo
fajfeganta pro vento.

시

시란 길잃은 사람들에게
불을 피워 길 안내할 수 있도록
꼭 맞는 낱말을 찾아내는 것.
시란 굶주린 사람들을

식탁으로 초대하는 것.
그 밖의 모든 말들은
바람에 휘파람 소리를 내는

구멍 난 북의
단순한 바스락거리는 소리.

Evoluo

senhejma hundo
feliĉon havis
sed duone
ĝi trovis sur balaaĵejo
peceton da kolbaso
sed tuj ricevis ĝia dorso
senprokraste
celtrafan frapon
per bastono
de vagabondohomo.
konkuranta
ĝi devas ja memori
ke homo estas
krono de l' Naturo.

진화

집 없는 개가
쓰레기통 안의
소시지 한 조각에
행복하지만,
절반만.
걸인이
개의 등을
사정없이
몽둥이질하네.
개가 내빼면서
사람이
자연의 왕자임을
정말 기억해야 하네.

Maro

mi staris ĉe maro kaj pensis
ke ĝi estas viva estaĵo
ke ni ĉiuj venis el maro
ke nia ekzisto finiĝos.
sed maro ja estis kaj estos
senmorta simile al amo.

mi nomon amatan
gravuris sursable:
ne povis ĝin ondoj forlavi

kaj falis steleroj en maron.

바다

바닷가에 서보니.
이 바다가 살아 숨 쉬는 생물이구나.
또 우리 모두 이 바다에서 왔구나.
바다는 이전에도 있었고 우리 존재가 없어져도
이 바다는 사라지지 않을 것이다.
이는 마치 사랑과 같네.

나는 사랑하는 이의 이름을
백사장에 새겨두었네:
그 이름은 파도에 쓸려 가지 않았네.

별 무리가 바닷속으로 떨어지네.

Kompaso

mi iras suden
mi iras norden
mi iras orienten
mi iras okcidenten
kaj ofte devojiĝas.
ĉar koro estas ja
kompaso nefidinda.

나침반

동쪽으로 가고
서쪽으로 가고 또
남쪽으로 가 보고
북으로도 가 보았네.
그런데 자주 나는 목표 지점에서 벗어났네.
마음이란
정말 믿을 수 없는 나침반이구나.

Kalendaro[14)

fenestron mian
enflugis folieto flava
de poplo svelta
apud dom' kreskanta.
mi miris ĉar somero
plu estas kalendare
probable folietoj
ne konas kalendaron.

---

14) *noto: Mi ne plu estas juna, sed mi ne konsideras
min maljuna, kvankam mi sentas la unuajn signojn
de proksimiĝo de maljuneco kontraŭ mia volo. Flava
folieto kiu flugis en mian fenestron meze de somero
estas unu de tiuj signoj. Ankoraŭ estas somero en
mia kalendaro, sed la foliaro verŝajne ne scias pri la
ekzisto de la homa kalendaro. Mi tre bedaŭras, sed
ili aŭguras baldaŭan aŭtunon — la alproksimiĝon de
maljuneco.

달력[15)

집 옆에 늘씬하게 자라는
버드나무 노란 잎 하나가
내 창문으로
날아드네.
놀랍다. 아직 여름이
달력에는 더 남았는데,
나뭇잎은 아직
시절을 모르나 봐.

---

15) *역주: 작가는 이제 젊지 않지만, 자신의 몸이 의도와
는 달리 늙어가고 있음을 알려주지만, 아직 늙었다고 받
아들이지 못한다. 여름날 내 창가를 찾아온 버드나무의
노란 잎 하나가 그 신호 중 하나란다. 내 인생은 아직도
청춘의 여름날이지만, 그 나뭇잎들은 인간 달력의 존재
에 대해서는 모른다. 작가는 곧 오게 되는 가을- 늙음-
의 징조를 보고 안타까움을 표현하고 있다.

Feliĉa homo

mi vidis feliĉan homon;
li sidis sur benko en parko
kaj ial ridetis:
ĉirkaŭ li flugis birdetoj
kaj multaj sentime sidiĝis
sur liajn manplatojn kaj ŝultrojn

kaj poste la homo foriris
mi okupis la saman benkon
kaj ankaŭ komencis rideti,
sed birdoj al mi
ial ne flugis.

행복한 사람

한 사람을 보았네;
그이는 공원 벤치에 앉아
뭔가로 웃음 짓네:
그이 주변에 새들이 날아와,
몇 마리는 두려움 없이
그이 손바닥과 어깨에 앉네.

그이가 그 자리를 떠난 뒤
내가 그 자리에 앉아,
웃음 지어 보이기도 했네. 하지만,
새들은 무슨 이유인지
내 곁으로 한 마리도 날아오지 않네.

Lingvoscienco

mi volus lerni
lingvon de animaloj kaj birdoj
de vento pluvo kaj suno
kaj paroli kun ili
ĉar ili scias ĉion
sed mi ilin ne komprenas kaj silentas
kaj ne povante ŝanĝi la staton
mi parolas kun homoj
ili scias nenion
sed mi diras kaj aŭskultas
kaj ne povante ŝanĝi la staton
mi revas pri lerno de lingvo
de animaloj kaj birdoj
de vento pluvo kaj suno

***

kiel ekscius mi
ke tago estas tago
se mi nokton ne konus
kiel ekscius mi

ke rido estas rido
se mi ne sopiradus

tagiĝas
kaj mi ridetas

***

Luno kaj steloj
parolas pri io
mi iras silente

***

sur limo
inter vivo
kaj morto
ni estas duope
mi
kaj mia koro

***

dum mi aŭdas
voĉon vian

dum okulojn viajn
vidas
mi aŭdas
mi vidas

***

vi estas ploro
se mi ploras
vi estas rido
se mi ridas
vi estas morto
se mi mortas
vi estas vivo
se mi vivas

vi estas ploro
vi estas rido
vi estas morto
vi estas vivo

mi ploras
mi ridas
mi mortas
mi vivas.

언어 지식

동물과 새들의 언어를
바람과 비와 해의 언어를
내가 배워
그들과 대화하고 싶어.
그들은 모든 것을 아는데
나는 그들을 이해할 줄 모르고 침묵할 뿐.
상황도 변화시킬 수 없네.
내가 사람들과는 대화하네.
그들은 아무것도 모르는데,
그들이 말하고, 내가 듣고
그렇다고 상황도 변화시키지 못하네.
나는 동물과 새들의 언어를
바람과 비와 태양의 언어를
배우고파.

***

내가 밤을 모르는데,
내가 어찌 날이 날인지를
알게 될까.

내가 그리움을 모르는데,
내가 어찌 웃음이 뭔지
알게 될까.

하루가 시작되고
나는 웃는다.

***

달과 별은
뭔가를 말하지만
나는 그저 조용히 걸어가네.

***

삶과 죽음의
경계에서
우리는 둘이다:
나와
나의 마음.

***

내가
당신 목소리를 듣는 동안,

내가 당신 눈을 보는 동안,
나는 듣는다.
나는 보고 있다.

***

당신은 울음,
만일 내가 운다면.
당신은 웃음,
만일 내가 웃는다면.
당신은 주검,
내가 만일 죽는다면.
당신은 삶,
내가 만일 살아있다면.

당신은 울음.
당신은 웃음.
당신은 주검.
당신은 삶.

나는 운다.
나는 웃는다.
나는 죽는다.
나는 살아간다.

Leontodo[16]

nenio okazis en mondo.
pereis nur leontodo
traktoro per radoj multpezaj.
ĝin premis al tero senbate
mi vidis paraŝuteton
ĝi longe ne falis surteren.

***

nuboj kovradas
stelojn
neĝo kovradas
florojn
nenien mi iros
hodiaŭ

---

16) *poezia noto: Ĉies vivo estas grava, ankaŭ la vivo
de planto. Leontodo pereis kaj ĝia infano
(paraŝuteto) timas fali surteren por ne esti ankaŭ
mortigita.

민들레 영토[17]

세상에 아무 일도 일어나지 않았지.
민들레 꽃만 사라졌거든.
굴러가는 육중한 트랙터 바퀴에
부딪히지도 않았는데
민들레가 땅속에 고꾸라졌네.

공중에 작은 민들레 홑씨 하나 보이네.
홑씨는 오랫동안 땅에 내려서지 못하네.

***

구름이
별을 가리고
눈(雪)이
꽃을 가리고
나는 오늘 아무 데도 갈 수 없구나.

---

17) *역주: 시인은 모든 존재의 생명은 소중하다. 식물의
생명 또한 그러하다. 민들레가 없어지고 나면 그 민들레
홑씨도 마찬가지로 죽임을 당할까 봐 땅으로 내려오는 것
을 주저한다.

Printempo

riveroj enfluas maron
por iĝi la oceano.
printempo
degelas glacio
kaj kien vi estos fluonta,
fonteto de mia animo.

봄

강물은 바다로 들어가
대양이 되려 하네.
봄이다.
얼음이 녹는다.
내 영혼의 샘인
그대는 어디로 흘러갈까.

Petrografio

roko
sin detirante
ĝemas
kaj falas malsupren
maro da ĝiaj pecetoj
similas al fajroartaĵo
ŝtono sin rulas malsupren.

바위

바위는
자신을 흔들어
한숨 쉬고는
저 아래로 떨어져
산산이 부서진다.
폭죽 같다.
돌들은 저절로 저 아래로 굴러간다.

Aŭtune en malsanulejo

ĉio blankadas
muroj
plafono
litoj
kiteloj
kaj neĝo ekstere
ĝi baldaŭ ekfalos

***

en tiu urbo
vi jam ne estas.
surstrate veturas
malplenaj tramoj.
malfermitajn fenestrojn
eniras vento
kiel fantomo
vagadas pasinto.

***

iam en la ĉielo
mi vidis belegan arkon
kaj ne povis deŝiri rigardon
mi tiel volas ĝin ree ekvidi.

iam en verda arbaro
mi aŭskultis miraklan birdon
kaj sonis magia muziko
mi tiel volas ĝin ree ekaŭdi.

iam mi vidis vin
kaj aŭskultis.

병원의 가을

모든 게 하얗다
사방 벽도
천정도
병실 침대도
사람들 복장도.
바깥에
곧 눈이 내리려나 보다.

***

그 도시에
당신은 이미 살지 않고
도로에는 텅 빈
시내 전차가 지나가고
열린 창문으로
바람이
마치 환영이
과거에서 방황하는 것 같이 들어오네.

***

언젠가 하늘에서
아름다운 무지개를 보고
눈을 뗄 수 없었지.
그 무지개를
또 볼 수 있기를 원했네.

우거진 수풀에서
놀라운 새소리를 들었지.
마술 같은 음악이었네.
그때 그 새소리
또 들을 수 있기를 원했네.

한때 나는 그대가
무지개로 또 새소리로 알았다네.

Floroj

ili estas simple floroj
kaj tiel malperfektaj
ili ne scipovas ion fari
nur donaci ĝojon.
ili bezonas milionojn da jaroj
por trapasi ŝtupojn de evolucio
penatingi pintojn de perfekto
trompi perfidi kaj murdi
al si similajn
do iĝi homoj.

***

belega estas vivo,
premiĝos koro
pro doloro.
malvarma vento
blovestingas revojn.
fariĝos por eterne
nokt' malluma,

finbrulas suno
kaj kandelo.
ridetas vi
belega estas vivo.

***

Ni ne bezonas mondan
(aŭ globan),
limigitan
(aŭ lokan)
militon.

Patrino sonĝis nigrajn nubojn
kaj fulmotondron.

Ŝi kuras al la lulilo
kaj super etulo kliniĝas.

Jam ekridetis infano
per pura kaj blua rigardo.

Estu ĉiam ĉielo pura,
estu ĉiam ĉielo blua,
ni ne bezonas nigran!

***

ni veraj kiam estas
ĉu sataj
ĉu malsataj?[18]
ĝemo en abismo
vokokri' de revo
hodiaŭ mi
ĉu mia identul'
malvera?

***

mi trankvilas
al foliaro simile
dum malbona vetero aŭtuna
leĝoj de la natur' estas saĝaj
vento blovos
vintro venos baldaŭe
blanka neĝo kovrados
restaĵojn aŭtunajn

---

18) *poezia noto: Tio estas la demando por mi: kiam
ni estas veraj, ĉu sataj, ĉu malsataj.

venos ree printempo
mi trankvilas
al foliaro simile
dum malbona vetero aŭtuna
nur ke venu printempo morgaŭe.

***

ĉi-loke estas centro de la Tero.
ĉi-loke estas kerno de la mondo.
kaj vojoj
vastaj helaj kaj sinceraj
kaj ĉirkaŭvojoj
fiaj kaj timemaj.
eliras de ĉi tie
ni iru en la vivon
mi sursojliĝos ree
kiel iam
mi estas ree hejme.

꽃

저들은 간단한 꽃이네.
저들은 불완전해서
뭘 하나 만들 줄 모르지만
기쁨만 선사하네.
저들이
진화의 단계를 통과해
완전의 정점에 도달하려면,
배신하고 속이고 죽일 줄 아는
인간과 유사하려면
수만 년이 필요하겠지.

***

아름답구나, 삶이여.
마음이 아파
압박하는구나.
차가운 바람이
꿈을 날려 버렸네.
이젠 영원히 어두운 밤만 있고
태양도 양초도

태워 없어질 것만 같네.
그대가 웃으니,
아름답구나, 삶이여

***

우리에게
(세계적이든)
한정적이든
(국지적이든)
전쟁은 필요 없어요.

어머니는 꿈에 먹구름과
천둥 번개를 보고는
어머니는 자신의 아기 요람으로 달려가,
그 요람 위로 고개를 숙여 보네.
이제 아기는 순수하고 푸른 눈길로
웃기 시작하네.
청명한 하늘처럼 있거라,
청명한 하늘처럼 있거라,
우리는 먹구름의 하늘은 원치 않는단다!

***

넉넉할 때 우리 모습이 본래 모습일까?

배고플 때 우리 모습이 본래 모습일까?
심연 속의 한숨 소리-
꿈속에서의 외침 소리.
오늘 보는
거울 속 나는
거짓인가?

***

나는 저 나뭇잎처럼
평온하구나.
가을 날씨가 좋지 않아도
자연의 법칙은 현명하니,
바람은 곧 불 것이고
겨울은 곧 올 것이고
흰 눈(雪)이
가을의 남은 것들을 덮을 것이고
다시 봄이 올 터이니.
나는 저 나뭇잎처럼
평온하구나.
가을 날씨가 좋지 않아도

봄이 내일이라도 어서 왔으면 하네.

***

여기가 지구의 중심.
여기가 세상의 핵심.
길은 넓고
밝고 진실하지만
갓길은 더럽고
무섭구나.

여기서 빠져나가
우리는 세상으로 나아가자.
옛날 내 집 문턱에 있었듯이
또 그런 집의 문턱에 서게 될 것이다.

Tempo

Tempo kuras trankvile kaj kutime,
ne ĉiu sekundo martelas tempiojn,
ili estas malrapidaj, molaj kaj varmaj
kiel lulkanto.

Sed okazas, ke estas rompata
ritmo de kvietiĝinta muziko de l' tempo
kaj iu ribelanta sekundo
forlasas sian orbiton
kaj sciigas la mondon pri sia ekzisto –
neretenebla, malmola, malvarma –
ĝi krias, eĉ en oreloj sonoras:
Vi tiel malmulte sukcesis fari!

시간

시간은 조용히 또 끊임없이 달려가지만,
내 관자놀이를 늘 때리지는 못한다.
초침은 자장가처럼
느리고 물컹하고 따뜻하다.

시간의 음악 리듬이
깨지는 경우도 생긴다.
반발하는 초침 하나가
자신의 궤도를 벗어나
세상에 제어되지 않고, 단단하고 차가운
자기 존재를 과시한다.
초침은 사람들 귀에 대고, 이렇게 소리친다:
그런데 당신은 그렇게 많이 성공하지 못했어요!

Aelita[19)]

Inter ni estas kosmo malvarma
kaj fora stelaro.
Mi tra spaco senfina
rigardas stelplenan ĉielon.
Okuloj-kvazaroj lumas.
Distancon je kelkaj paŝoj
mezuras parsekoj.[20)]
Kvankam mi ĉiun momenton
al vi flugadas,
vi estas tiel de mi
malproksime.

***

vento alportas en polmoj
odorojn de herboj,

---

19)*poezia noto: Aelita estas nomo de junulino kiu
loĝas sur alia planedo (el fikcia romano).
20)*poezia noto: parsekoj:(la mezurunuo de distancoj
inter stelaroj. proksimume 3.26 lumjaroj).

kion flustradas floroj
en malproksim'.
sur ankoraŭ verdetaj ebenoj
rosoj frostiĝas
sur tia vojeto mi iras.

아엘리타21)

우리 사이에 차가운 우주와
저 먼 성운계가 있네.
나는 무한한 공간에서
별 무리의 하늘을 본다.
눈(目)- 전체 항성은 빛나고 있다.
몇 걸음의 거리를
파르섹으로 측정해 표시한다22).
내가 매 순간 당신에게
날아가지 못함은
당신이 그렇게 멀리
떨어져 있기에.

***

바람이 내 손바닥으로
저 멀리 초록 평원에서
꽃들이 속삭이며 내는

---

21) *역주: 다른 행성에 사는 아가씨 이름 (공상 소설에
서).
22) *역주: 파르섹(천체 사이의 거리를 재는 단위. 약 3.26
광년).

향기를 가져다준다.
아직도 초록 평원에
이슬이 내가 가는 길에
얼어붙었네.

Revo

Mi revis,
kiam estis infano,
suprenflugi en la ĉielon,
almenaŭ per aeroplano
(aeroplano sin levas supren –
kaj ĉiuj ne povantaj flugi:
domoj, arboj kaj fostoj kaj tiel plu –
iĝas tiel malgrandaj)···

···Aeroplano sin levas supren –
kaj ĉiuj ne povantaj flugi:
domoj, arboj kaj fostoj kaj tiel plu
kaj tiu, kiu ne revis,
kiam estis infano,
suprenflugi en la ĉielon,
almenaŭ per aeroplano –
iĝas tiel malgrandaj.

꿈

내 어릴 적 꿈은,
저 하늘에 날아보는 것,
적어도 비행기를 타고서
(비행기는 스스로 위로 날아오르지만 –
집이나 나무 전봇대 등등의
모든 것이 다 날아다닐 수는 없다:
–
그러고는 그렇게 작아져 버린다)…

…비행기는 스스로 위로 날아오른다 –
집이나 나무 전봇대 등
그런 모든 것은 날아다닐 수 없다:

또 어릴 적에
비행기라도 타고 하늘을 날아보겠다는
그런 꿈을 꾸지 못한 사람은–
그들은 그렇게 작은 사람이 되어버린다.

Identulo[23)]

Vi estas al mi tiel korinklina,
vi kuras al mi renkonten,
vi kaptas mian rigardon
kaj serĉas mian subtenon.
Kial vi estas ĉiam sopira,
mia spegula identulo?
Ĉu vi ne ekvidis,
ke mi jam ridetas?

---

23) *poezia noto: Ĉiun tagon mi rigardas spegulon kaj
vidas tie mian identulon— mian "alter ego" — mian
"duan mi". Tiu identulo estas ĉiam malgaja ĉar mi
mem estas ĉiam malgaja. Sed hodiaŭ mi rigardis la
spegulon kaj ridetis. Kaj mi diras al mia identulo:
"Ne estu tiel malgaja, ridetu! Ĉu vi ne vidas ke mi
jam ridetas?"

거울 속의 또 다른 나24)

나를 볼 때는 네가 마음이 끌린 듯하고,
나를 만나러 올 때는 네가 달려오는 듯하고
나를 볼 때는 네가 내 눈길을 붙잡고
너는 내가 지지해 주기를 고대하네.
왜 나의 거울인 것 같은 동일인인
너는 언제나 그리워하는가?

너는 내가 이미 웃음 짓고 있음을
보지 못했니, 응?

---

24) *역주: 매일 작가인 나는 거울 보고, 그 거울 안에서 나
와 똑같은 인물을— 나의 또다른 자아(ego)를— 본다. 이
인물은 언제나 우울하다, 내가 언제나 우울한 모습을 보
이기에. 하지만 오늘 나는 거울을 보며 웃었다. 그러자 나
는 내 안의 인물에게 이렇게 말한다: "그렇게 우울한 모습
을 보이지 말고, 좀 웃어요! 내가 이미 웃고 있음을 보지
못했어?"

Kontrastoj[25)]

oni diras
ke kontrastoj
interaltiriĝas
ĉu mi estas
tia nulaĵo.

***

ĉu mi povas vin iam forgesi
ĉu mi povas forgesi vidi
ĉu mi povas forgesi aŭdi
ĉu mi povas forgesi spiri
certe povos mi vin forgesi
se mi povos forgesi vivi.

---

25) *poezia noto: Mia amatino estas la plej bona en la
mondo. Sed oni diras ke kontrastoj interaltiriĝas. Ĉu
mi estas la plej malbona?

사랑하는 사람들의 대조26)

사람들은 대조라는 것이
뭔가 관련성이 있다고 하는데,
그럼 내가 나쁜 존재인가?

***

내가 언젠가 당신을 잊을 수 있을까?
내가 당신을 보는 걸 잊을 수 있을까?
내가 당신 말을 잊을 수 있을까?
내가 당신 숨소리를 잊을 수 있을까?
나는 분명 잊을 수 있으리.
내 삶을 마감한다면.

---

26) *역주: 사람들은 연인 사이에는 대조(대비)되는 점이
   있다고 하는데, 시인은 이렇게 말한다.—내가 사랑하는
   이는 이 세상에서 가장 착한 사람인데, 그럼, 나는 가장
   나쁜 사람인가? 라고.

Sendormeco

mi vekiĝis pro bruo kaj tondro
sed briletis per steloj ĉielo.
luno arĝenta rigardis fenestron
ĝis maten' mi ne povis ekdormi
tio estis ne fulmotondro.

잠 못 이룸

갑자기 천둥소리에 깨어나니
하늘에 별들은 반짝이고 있네.
은은한 달은 창을 비추고
아침까지 나는 잠을 못 이뤘네.
천둥 번개 때문은 아니었네.

Paruo

Sin premis malgranda paruo
al mia fenestro.
Estaĵo vivanta ĉiam
bezonas varmon.
Sed kiel mi vin defendos,
naiva birdeto?
Frostiĝas mi mem pro doloro
simile al birdo vundita.

동박새

작은 동박새 한 마리가
내 창가로 들이미네.
이 살아있는 존재는 언제나
온기가 필요하네.
그런데, 내가 어찌
귀여운 새야, 너를 지켜줄 수 있겠니?
나 스스로 상처 입은 새처럼
마음 아픈데.

Disiro

Rigardo al suno similas
je paŝo ĝis vesperiĝo
trankvilo malvarma
brakumas ŝultrojn
vi diras ke ne ekzistas
Lando de Revoj Matenaj
diru kie mi vivu.

***

vizaĝo via
sunradias
mi opiniis iam
ke mallum' de nokto
pli malvarmigas
ol silento
kaj ĝi mortigas
revojn niajn
sed
vizaĝo via

sunradias.

***

Kiom da fojoj
oni al mi deziris
sanon,
feliĉon
kaj longan vivon.
Mi vivu feliĉa kaj sana
milojn da jaroj.
Sed vi diris:
Sen mi vi ne povos vivi.

연인에게 이별이란

태양을 바라보니,
단걸음에 저녁이 되는 것 같다.
냉기가 내 어깨를 감싼다.
당신은 내게 말한다.
아침의 꿈나라는 없다고,
그럼 내가 어디에 살까요?

***

당신 얼굴은 햇살 같네,
나는 언젠가 말했지.
밤의 어둠이 침묵보다 더 차구나.
오늘 밤엔 꿈도 꾸지 말라네.
그래도 당신 얼굴은
햇빛처럼 빛나네.

***

사람들이 내게
몇 번이나

건강하세요,
행복하세요,
장수하세요 라고 했는가!
나는 행복하고 건강하게 천년만년 살아야지.
하지만, 당신은 내게 말한다:
나 없인 살 수 없을걸요!

Miraklo

Dezirus mi kredi miraklon.
Rekte en flakon telero falas,
kaj krias aliplanedanoj:
Tio ne estis antaŭvidita.
En lago kaptita estas
lacertelefanthibrido.
Intervjuata estas neĝhomo
de raportistoj el CNN.
Dezirus mi kredi miraklon,
En mondo ankoraŭ okazas mirakloj.
Ree vi min preterpasas.
Kiel al mi jam tedis
ĉiuj ĵurnalsensacioj!..

***

guteto da akvo
el glacipendaĵo
hieraŭa
falante malsupren

tuŝetis vizaĝon mian.
mi estis tiel surprizita,
ke en mallibero vintra
nur povis pensi
ke vi revenis.

신기한 일

신기한 일이 있다고 믿고 싶다.
흙탕물에 미확인 물체인 접시가 곧장 추락해
그 속에서 외계인들이 나와 소리치네:
그건 예측하지 못한 일이었다고.
어느 호수에
악어-코끼리 잡종이 살고 있다 잡혔단다.
CNN 기자가
외계인 설인(雪人)과 인터뷰를 했단다.
나는 그런 신기한 일이 있다고 믿고 싶다.
이 세상에는 여전히 신기한 일이 있다.

다시 그대가 내 옆을 지나네.
이 모든 언론 기사엔
나는 이미 관심이 없어졌네!..

***

어제 고드름에서
물방울 하나가
아래로 떨어져

내 얼굴을 때렸다.

이제야 나는
이 겨울의 감옥에서
번쩍 생각이 드네:
그대가 돌아왔구나.

Senmorteco[27)]

mi mortos
kiam pluvo
batos kontraŭ
fenestrojn
kaj min doloros.
aŭ ne
mi ne mortos,
kiam pluvos.
mi mortos
kiam suno
ridetos
sed min doloros.
aŭ ne
mi ne mortos.
kiam sunos
mi mortos.
kiam
aŭ ne
mi ne mortos.

---

27) Mi ne volas morti, kiam estas suno kal kiam ne estas suno, kiam pluvas kaj kiam ne pluvas. Mi neniam volas morti, do eble mi estos senmorta?

불멸

창문에 비 들이치고
병들어 있으면
내 없어지리.

아냐,
비만 온다면 없어지지 않을래.

햇살이 비치는데
병들어 있으면
내 없어지리.

아냐,
햇살만 비치면 없어지지 않을래.

아무튼,
어느 때도
나는 없어지지 않을래.

Nenie kaj neniam

ĉie
en amo
en flamo
sur vojo
en ĝojo
nenie.

ĉiam
hieraŭ
hodiaŭ
kaj morgaŭ
iam
kaj nun
neniam.

어디에도 결코 없는

모든 곳에
사랑과
열정이 있고
길에
기쁨이 있네.
그러다가
아무 곳에도 없네.

언제라도
어제
오늘
또 내일이 있네.
어느 순간에도 있네.
그러다가
또 지금
전혀 보이지 않네.

Antaŭjuĝoj

Katoj de l' tuta mondo
unuiĝis kontraŭ min,
ili krucigas vojon
ĉe mia ĉiu paŝo.

Sed unu, kiu tutan tagon
frotiĝas kontraŭ miajn gambojn,
hodiaŭ lavas sin
sur domosojlo.
Kaj mi trankvilas.

선입견

온 세상 고양이들이
나와 맞서려고 연합했구나,
그들은 내가 가는 길 어디에나
길을 막고 있네.

하지만 고양이 한 마리는 온종일
내 무릎에서 비벼대는구나.
오늘 내 집 문턱에서
그 고양이는 자신을 씻는다.
그때 나는 평온해진다.

Urbo

mi rememoras
inter kvar okuloj
ankoraŭ unu paŝo
kaj perdiĝos
en strataj krucvortegoj.
mi por ĉiam
miksiĝos kun malvarma
homamaso,
eniros vin
kaj ne revenos

***

en mia koro
estas multaj vundoj
fluas sango
tra verslinioj.

도시

나는
나의 두 눈, 또 도시, 너의 두 눈 사이에서
기억하고 있다.
여전히 한 걸음을 더 걸어간다.
그리고 큰 십자로에서
나는 영원히
차가운 인파들과 섞여 사라질 것이다.
나는 도시, 너에게 들어가
돌아서지 않을 것이다.

***

내 마음속에
수많은 상처가 있고
피가 흐른다.
내가 쓰는 시 구절마다 피가 흐른다.

Kroniko de tago

du aeroplanoj
estas paffaligitaj
de super irako.
dufoje
    dinamo golis.
    kaj vi ridetis
    al mi dufoje.

***

en subtera transirejo
ludis akordionist',
mi aŭskultis longe
premiĝinte
al malvarma kolono.
nenio ŝanĝiĝos
en mondo sen mi
nur en marto
ne komenciĝos printempo
kaj muziko restos

porlonge sopira.

***

hodiaŭ
mi haltos duonvoje
eksilentos duonvorte.
ĉi tiu iluzio de feliĉo
rompiĝu morgaŭ,
kaj mi malsupreniros
de belegaj pintoj
de Monto Blanka
kie neĝo estas
blindige blanka
en valon,
    kie malpuraj fluoj
    forportas al pasinteco
    ne faritajn paŝojn
    kaj ne diritajn vortojn.

오늘 일기장

비행기 두 대가
이라크 상공에서 총격을 받아
추락했다네. 그대는 아무 말이 없었네.

내가 좋아하는 디나모(Dinamo) 축구팀이
골을 2골 넣었어.
그러자 그대는 나에게 두 번이나 웃었네

***

지하 통로에
아코디언 악사가 연주하자,
나는 오랫동안
차가운 기둥에 기댄 채
듣고 있었네.
나 없이는 이 세상에서
바뀐 것은 없어.
3월이 와도
봄이 시작되지 않을 테고
또 음악은 오랫동안
그리움으로 남겠네.

***

오늘은 내가
길을 가다가 멈추어서서
조용히 서 있어 보자.
행복의 이 모든 환상은
오늘 말고 내일 깨져라.
나는 눈부시게 하얀 눈이 덮인
몽블랑 산의
저 아름다운 정상에서
내려와,
더러운 물길이
아직 내딛지 않은 발걸음을,
아직 말하지 못한 말들을
과거의 계곡으로 데려다주겠지.

Amo

vi stariĝis
ĉe la fenestro
simile al birdo
jam preta
por suprenflugo
kaj ŝirmas lumon.

tra fingroj
trabatis vojon
sola radio

mi skribos per ĝi
vian nomon.

사랑, 그대는

그대는 마치 저 하늘로
높이 날 준비가 된 채
새처럼
창가에 서서
빛을 막고 있네.

유일한 햇빛이
그대 손가락 사이로
길을 만들어 비추니

나는 그 빛으로
그대 이름을 쓴다.

Libertempo

mi volis skribi
  versaĵon
pri libera tempo –
  ne havis tempon

자유시간

나는 자유시간에 대해
시를
하나 쓰고 싶은데-
시간을 못 내겠네.

Alibio

kredo al futuro
jam estas murdita.

makulo de sango
ĉiam pligrandiĝas
kiu bezonas.

알리바이

미래를 향한 믿음은
이미 살해되었다.
피비린내의 흔적은
언제나 당신의 알리바이를
필요로 하면서 더 커진다.

Koro

mi lasis ĉe vi
mian koron
kiam foriris
surmetis ĉapelon
kaj enĵaketiĝis
piedvestis
kaj prenis saketon
sed koron mi lasis
ŝajne ĝi restis
surtable
inter libroj.

koro kuŝadis
kaj pulsis
kaj poste
sin kovris per polvo
kaj kiam oni ordigis,
oni diris
kia malnecesaĵo
kaj ĵetis en balaaĵujon.

kiam mi iras surstrate
homoj timegante
diskuras
ĉar homo
sen koro
estas terura.

마음이란

내가 당신에게
내 마음을 맡겨 두었네.
그러고는 나는 모자를 쓰고
재킷을 입고
신발을 신고
배낭 메고
집을 나섰네.
그런데 지금 생각해 보니,
내 마음은
탁자 위
여러 책 사이에 놔두었네.

그 마음이 그렇게 놓인 채
숨 쉬고 있었는데
나중에 먼지가 쌓였네.
그러자 사람들이 정리한다고
이건 필요 없네 하며,
쓰레기통에 던져 버렸네.

내가 밖에서 걸어갈 때

사람들이 나를 보면서
무섭다고 흩어지더라고.
사람이 마음이 없는 채
 나다니는 것은
 공포라며.

Senparolo

ploregaj okuloj
de vento,
silento
de nokt' senflugila
kaj frapas
sur la fenestron
vortoj
ne enlasitaj
en verson.

말 없음

바람에
눈물범벅인 두 눈으로.
날개를 잃은
밤의 침묵은
창가를
두들기네.
나는 아직
한 문장도
쓰지 못하네.

Antaŭgardeco

Najbarino,
malklera
avino Maria,
diris,
rigardante
la televidilan
ekranon:
Verŝajne,
ili de tie
nin vidas.
Mi scias,
ke ŝi malpravis,
sed nun,
kiam mi
min alivestas,
aŭ (silentu!)
rekalkulas monon,
la televidilon
por ĉiu okazo
mi ĉiam malŝaltas.

***

Ridetis al mi
idioto
kaj min salutis.
Stultege
mi skuis kapon
kaj ion balbutis.
Ne scias mi nun,
kiu el ni
pli saĝa estas.

앞서서 조심함

이웃집 노모가,
못 배워서
TV 화면을 보면
이렇게 말하네:
정말 저 사람들이 저곳에서
우리를 지켜보고 있네.

나는 그 노모 하는 말이
틀렸음을 알고 있다.
하지만, 내가 옷을 갈아 입을 때나,
(조용!) 내가 돈을 세고 있는 지금,
만사를 제쳐놓고
먼저 TV부터
꺼버린다.

***

어떤 바보가 나를 보고
웃으며 인사하네.
멍청하게도

나는 고개를 들어
뭔가를 말하네.
지금,
우리 두 사람 중
누가 더 현명한지 모르겠네.

Rozo

Ŝi sole staris mirigita,
trista kaj malĝoja,
ĉar opiniis, ke ŝi estis
ununure bela,
sed tamen floroj ĉi belecon
ial ne rimarkis...
Kaj ŝi ne sciis: floroj ĉiuj
estas ja reĝinoj.

***

Mi perdis min en homamaso
apud elirejo metroa,
ĉar ĉiam mi estis ja fisenatentulo
kaj krome malobeemulo,
ĉu eblis min paŝti ĝisfine?[28]
Puŝiĝis mi longe kaj kriis,
sed ĉio vanis,

---

28) *poezia noto: Paŝti min signifas kontroli por ke mi
ne perdiĝu.

kaj poste iu ŝajne renkontis
vireton povran
kun desegniĝinta ventreto,
kun sakoj sub lacaj okuloj
kaj preskaŭ senharan -
Li staris kutime sola.
Al mi oni diris, ke li estas mi,
kaj oni sendube pravis,
sed mi ne konsentas,
ĉar eble troviĝos
pli bona iu.

장미꽃

장미꽃은 혼자 놀라서,
슬퍼, 우울하기도 하네,
저 혼자만 아름답다 여겼기에.
주위 꽃들이 이 아름다움을
알아주지도 않으니......
더구나 꽃 하나하나가 정말 여왕임을
장미꽃은 미처 몰랐네.

***

나는 지하철 출입구 옆
인파 속에서 길을 잃었다.
내가 언제나 덤벙대기 때문이었다.
더구나 질서를 모르는 사람이니,
끝까지 내가 제 갈 길을 찾을 수 있을까?
나는 오랫동안 밀쳐지고 외쳤으나,
모든 것이 허사였다.

나중에 누가
불쌍한 한 남자를 만났는데

피곤한 두 눈 아래
가방을 들고,
배가 나왔고
거의 민머리다-
그는 보통 혼자 서 있다.

사람들이 나를 보고, 그 사람이 바로 나라네.
그들이 하는 말은 분명 맞지만,
나는 동의하지 않는다.
나는 그이보다 더 나은 누군가를 찾아낼 수
   있을 테니.

Identigo

homo rigardis
en speguleton
kaj diris al si
nesimila
kaj poste bruligis
cigaron
ekpluvis
kiel tiam vespere
tamen eĉ arboj
jam iĝis aliaj.

확인하는 방법

사람은 거울을
들여다보고는
자신에게 말한다:-
비슷하지 않아.
그러고는 나중에
담배를 피운다.

비가 내리기 시작한다.
그날 저녁처럼.
그런데 나무들이
옛날 그 나무가 아니네.

Memoro

Diras vi, ke memoro
pli valoras ol oro···
Jes, sendube memoro
estas granda trezoro,
sed, laŭ mi, plej valora
estas amo enkora.
Senvaloras memoro,
se sen am' vivis koro ...

추억

그대는 추억이 황금보다
가치가 더 있다고 말하네…
그래, 의심할 필요 없이
추억이야말로 위대한 보물이지,
하지만, 내게 가장 소중한 것은
내 마음속의 사랑이지.
이는 추억마저 가치 없게 하거든.
만일 사랑 없이도 마음이 살 수 있다면...

Violonisto

Solviĝas en muzik' esenco mia,
per ondo kolizias kun etero,
leviĝas super falso, super vero –
kaj for de l' universo materia.

Forviŝos mi por ĉiam homajn limojn,
al mi etendas manojn milionoj.
Fluadas mi: ĉu bono, ĉu malbono –
venen', balzam' inspiras la animojn...

...L' vizi' degelis, estas mi en ordo,
nur infinito premas la memoron···
Violonisto arĉas jam ne kordojn,
sed mian koron.

바이올린 연주가

내 알짬은 음악 속에 풀어지고,
저 선율은 창공과 부딪혀,
거짓 위에서, 진실 위에서 일어서고-
저 물질의 우주에서도 멀어지네.

나는 영원히 인간 한계를 씻어내어,
수천만의 손길이 나를 향해 펼쳐있네.
선의든, 악의든-
독약이든, 위로의 약이든 수천 영혼을 감동하게
　　하네...

...환상은 녹아, 나는 질서 속에 있네,
오로지 무한은 추억을 압박하네…
바이올린 연주자는 이제 자신의 현을 켜는 것이
　　아니라,
내 마음을 연주하네.

Folifala elegio

Melodio de l' vento plu tristas,
Oras pro foliaro la tero.
Kaj nenio enmonde ekzistas,
Sole ĉi folifala vespero.

Estingiĝas espero kaj flamo,
Grizaj nuboj kovradas la sunon.
Mi revenos al vi, mia amo,
Iam en la plorantan aŭtunon.
Mi revenos al vi, mia amo,
Iam en la plorantan aŭtunon.

Iam en la plorantan aŭtunon.

Kaj kirliĝos sub la firmamento
Ornamaĵoj por la flava balo.
Kun folioj portataj de l' vento
Ni valsados en la folifalo.

Sonas de la aŭtun' elegio,

Ploras nuboj, malgajas la koro.
Kaj ekzistas enmonde nenio,
Sole ĉi folifala angoro...
Kaj ekzistas enmonde nenio,
Sole ĉi folifala angoro...

Sole ĉi folifala angoro...

Estingiĝas espero kaj flamo,
Grizaj nuboj kovradas la sunon.
Mi revenos al vi, mia amo,
Iam en la plorantan aŭtunon.
Mi revenos al vi, mia amo,
Iam en la plorantan aŭtunon.

Iam en la plorantan aŭtunon.

Iam en la plorantan aŭtunon.

잎사귀 떨어지는 엘레지

불어오는 바람 소리가 더 슬퍼,
온 땅이 낙엽들로 노랗다.
세상에는 낙엽 말고 다른 것은 존재하지
　않으니,
유일하게 이 잎사귀들만 떨어지는 저녁이네.

희망과 열망은 이미 꺼지고,
회색 구름이 태양을 이미 가렸고
나는 그대, 내 사랑으로 돌아가리라.
비 내리는 가을날에.
나는 그대, 내 사랑으로 돌아가리라.
비 내리는 가을날에.
비 내리는 가을날에.

그러면 저 창공 아래
노란 무도회를 위한 장식들이 휘감을 것이네.
바람이 안겨다 준 낙엽들과 함께
우리는 떨어지는 낙엽 사이로 왈츠를 추리라.

가을의 엘레지는 소리 나고,

구름은 울고, 내 마음도 슬퍼.
세상에는 아무것도 보이지 않으니,
유일하게도 잎사귀 떨어지는 이 질식 속에...
그리고는 세상에는 아무것도 보이지 않으니,
유일하게도 잎사귀 떨어지는 이 질식 속에서...

유일하게도 잎사귀 떨어지는 이 질식 속에서...

희망과 열망은 이미 꺼지고,
회색 구름이 태양을 이미 가렸고.
나는 그대, 내 사랑으로 돌아가리라,
비 내리는 가을날에.
나는 그대, 내 사랑으로 돌아가리라.
가을에 비가 내리면.

가을에 비가 내리면.

가을에 비 내리면.

Robinsono[29)]

La senlima for' senfundas,
La brueg' de l' mar abundas,
Ree dezertas horizont'.
Kvankam homojn tre sopiras,
Vane al la maro iras,
Vane al la maro iras
Ĉi-matene Robinson'.

Blankaj ŝipoj ne videblas,
Kaj espero lia feblas,
Nur solecas la insulo,
Ĉirkaŭita de l' nebulo...

Ploras la animo-mevo,
Sed vi kredu je la revo,

---

29) *poezia noto: *Robinsono* estas heroo de la romano
de Daniel Defoe (en la angla originalo *Robinson
Crusoe*), publikigita unuafoje en 1719. Ĝi temas pri
la aventuroj de maristo, kiu travivis ŝip—rompiĝon
kaj poste vivis dum multaj jaroj sur izola insulo.

Certe prosperos via mond'.
Bluaj ondoj vin karesos,
Ĉio en la viv' sukcesos,
Ĉio en la viv' sukcesos,
Ekridetu, Robinson'.

Venos feliĉega horo –
Returniĝos am' al koro,
Ĉar senmortas sento hela
Kaj la vivo estas bela.

로빈손 크루소³⁰⁾

경계 없는 저 먼 곳은 얼마나 먼지 알 수 없고,
파도 소리만 넘실대는구나,
저 수평선이 황무지처럼 보이고
사람이 그리워 보고 싶어도,
저 바다로 헛되이 갈 수도 없고,
저 바다로 헛되이 갈 수도 없으니
오늘 아침에는 로빈손 크루소는.

하양 선박들은 전혀 보이지 않고,
로빈손 크루소는 희망에만 의지할 뿐,
외로운 섬,
안개로 자욱한 섬만...

영혼의 갈매기 울고 있지만,
그대는 그 꿈을 믿으오,
분명 그대 세계는 번성하리라.

---

30) *역주: 《로빈슨 크루소》는 영국의 작가 대니얼 디포
   가 1719년에 발표한 장편 소설이자 소설 속 주인공의 이
   름이다. 이 소설은 배가 난파되어, 로빈슨 크루소가 무인
   도에 표류하는 사건을 다룬 작품이다.

푸른 물결이 그대를 품어,
삶에서 성공을 이루리라.
삶에서 성공을 이루리라,
이제 웃어 봐요, 로빈손 크루소.

행복한 시간이 오리라 –
사랑이 마음으로 바꿔 놓으리라,
밝은 감정은 사그라지지 않아,
삶이란 아름답기에.

Tero de Paco

Kredu ni je la estonto,
Esperante revu ni,
Certe trans la horizonto
Viglos viv' en harmoni'.

Kiam verda primavero
Floros bele en anim',
Nur antaŭen kun espero
Iru firme vi sen tim'.

Vojeton ni sternu de koro al koro,
Foriĝu el koroj malam' kaj doloro,
Kaj sonu feliĉe por mi kaj por vi,
Por ĉiu sur Tero de pac' melodi'.

Vin atendas via stelo,
Do kuraĝu al la voj',
Birde flugu al ĉielo,
Plena de liber' kaj ĝoj'.

Sur lazura alta ondo
Kanto sonu tra l'eter'
Pri mirinda nia mondo,
Pri belega nia Ter'.

Vojeton ni sternu de koro al koro,
Foriĝu el koroj malam' kaj doloro,
Kaj sonu feliĉe por mi kaj por vi,
Por ĉiu sur Tero de pac' melodi'.

평화의 땅

미래를 믿읍시다,
희망을 꿈꿉시다,
분명 저 지평선 너머에는
조화의 삶이 있으리라.

내 영혼의 초록의 이른 봄이
아름답게 빛나면,
희망을 안고 앞으로 나아가리
그대는 두려움 없이 굳건하게 걸어가세.

마음에서 마음으로 길을 넓히고,
마음에서 증오와 아픔은 없애고,
나와, 그대, 또 모두를 위해,
이 땅에 평화의 멜로디가 들리도록 애쓰자.

그대 별이 그대를 기다리니,
그러니, 우리는 그 길로 용감하게,
새처럼 저 하늘로 날자.
자유와 기쁨으로 충만한 저 하늘로.

파랗고 높은 창공에 들려 오네.
위대한 세상의 노래가,
아름다운 이 땅의 노래가.

마음에서 마음으로 길을 넓히고,
마음에서 증오와 아픔은 없애고,
나와, 그대, 또 모두를 위해,
이 땅에 평화의 멜로디가 들리도록 애쓰자.

Mi kredas

La luno brilas sur la nokta ondo,
Kaj lumas hele steloj tra l'eter'⋯
Ekdormu kalme, maltrankvila mondo,
Ripozu de malĝojo, kara Ter'.

Detruas vin militoj kaj suferoj,
Turmentas vin malamo kaj dolor',
Sed vivas tamen en la kor' esperoj
Al via bona kaj feliĉa hor'.

Ni strebu al paco, infanoj de l' Tero,
Aspiru la celon kun arda pasi',
Per lingvo komuna kaj en harmoni'!
Mi kredas je amo, feliĉo kaj vero!
Homaro, mi kredas je vi!

Ni ofte flugas pense al ĉielo,
Nin ebriigas alto kaj liber',
Allogas nin kaj ravas Dia belo
En ĉiu flor', nubeto kaj roser'.

Sed pafojn sonĝas beb' en sia lito –
Kaj super ĝi kliniĝas la patrin',
Ŝi sian bebon gardas de milito,
Kaj estas nia devo helpi ŝin.[31]

Ni strebu al paco, infanoj de l' Tero,
Aspiru la celon kun arda pasi',
Per lingvo komuna kaj en harmoni'!
Mi kredas je amo, feliĉo kaj vero!
Homaro, mi kredas je vi!

***

Mi aŭskultos tre helan muzikon de via
anim',
    se silentos pianoj, tamburoj, gitaroj,
    se muteco angora envolvos la teron,
    sen muziko malvarmo plenigos eteron,

---

31) *poezia noto: Ni ĉiuj deziras pacon, sed oni pafas
    kaj tiun pafadon aŭdas bebo dum sia dormado, super
    ĝia lito kliniĝas ĝia patrino, ŝi volas protekti sian
    bebon kontraŭ milito, kaj ni ĉiuj devas helpi ŝin. La
    bebo dormis kaj sonĝis pafojn, tio signifas, ke ili
    aŭdis en sia sonĝo kiel oni pafis.

ĉiuloke regadas malĝoj' kaj deprim'.

Se falegos la mondo de rev' al Tartaro[32)]
kaj ne savos ĝin certe la plej bela rim'
kaj la sun' estingiĝos malantaŭ nubaro,
Mi ne falos, mi haltos ĉe la lasta lim',
ĉar aŭdiĝos tre hela muziko de via
anim'.

32) *Poezia noto: Abismo kaj punloko en Hadeso.

나의 믿음

밤하늘에 달이 비치고,
창공에 별들이 반짝이고 있다…
평온하게 자렴, 시끄러운 세상아,
슬픔을 걷어내고 휴식하렴, 사랑하는 지구여.

전쟁과 고통이 그대를 괴롭히고,
증오와 아픔이 그대를 고통 속으로 빠뜨리지만,
우리 마음속에는 희망이,
그대의 선의와 행복한 시간을 고대하는 희망이
    있어요.

지구상의 어린이여, 평화를 위해 애씁시다,
평화라는 그 목표, 잊지 말아요,
공통어 에스페란토에서 또 조화로움 속에서!
나는 사랑과 행복과 진실을 믿어요!
나는 우리 인류도 믿어요!

우리 생각은 자주 하늘로 향해 날아가,
우리는 그 높은 곳에서 자유를 느끼고,
우리는 하나님의 아름다움을 느낄 거예요.

꽃을 볼 때도, 구름을 볼 때도, 이슬을 볼 때도.

하지만 아기가 자신의 요람에서 꿈에 사람들이
   총 쏘는 것을 보면-
그 요람 위로 아기 어머니가 고개 숙여,
총포탄의 이 전쟁에서 이 아기가 다칠까
   걱정합니다.
우리는 이 아기와 어머니를 지켜낼 의무가
   있습니다.

지구상의 어린이여, 평화를 위해 애씁시다,
평화라는 그 목표, 잊지 말아요,
공통어 에스페란토에서 또 조화로움 속에서!
나는 사랑과 행복과 진실을 믿어요!
나는 우리 인류도 믿어요!

                    ***

나는 인류의 해맑은 영혼의 음악을 들을
   겁니다.
피아노, 북과 기타가 침묵해도,
침묵이 이 땅을 지배해도.
음악 없으면 차가움이 창공을 휘감고,
어디서나 슬픔과 절망이 지배하고,
세상의 고상한 꿈마저 지옥에 떨어지면.

아름다운 시 운율조차 세상을 구하지 못하니.
  태양마저 구름 뒤로 사라진다 해도,
나는 마지막 경계에서 떨어지지도 않으리.
멈추어 서서, 나는 지구의 해맑은 영혼 음악을
  듣고파.

=제2부 Versaĵo 기고문=

우크라이나에서 온 편지 1

(특별기고)33)

"MILITO PER MIAJ OKULOJ"
제 눈으로 직접 본 전쟁

제 이름은 페트로 팔리보다(Petro Palivoda, 62세)입니다. 우크라이나 시인이자 에스페란토 시인이고 번역 작가입니다. 저는 아내와 함께 우크라이나 수도 키이우(키에프)에서 약20km 떨어진 마을에 살고 있습니다.

대한민국은 제게 낯선 나라가 아닙니다. 지난해 3월 서울의 진달래출판사에서 우크라이나 작가 크리스티나 코즈로프스카(Ĥristina Kozlovska)의 단편소설 『반려 고양이 플로로』(장정렬 번역)를 출간했기 때문입니다. 저는 그 출간 작품들을 에스페란토와 영어로 번역했고, 제 번역을 한국에스페란

---

33) *역주: 부산일보(2022년 4월 13일) 제2면 <우크라이나에서 온 편지>라는 제목으로 실린 자료를 옮겨 적습니다.

http://mobile.busan.com/view/busan/view.php?code=20220412193116900060.

부산일보

"지금도 러시아군이 무고한 시민에게 총부리를 겨누고 있어요"

토협회 부산지부 회보 〈테라니도(TERanidO)〉 편집장 장정렬 님이 한국어로 번역하였습니다. 이전에도 부산지부 회보 〈테라니도〉에서 우크라이나 작가들(크리스티나 코즈로브스카, 보흐다나 예호로바 (Bohdana Jehorova), 마리아 미키세이 (Maria Mikicej)의 작품(동화, 시)들이 소개된 바 있습니다.

벌써 40일 이상 이미 제 조국 우크라이나는 영

웅적으로 러시아군 공격에 맞서 싸우고 있습니다. 저는 지난 2월 24일 새벽 5시에 제 아내가 나를 깨운 말- 《여보, 전쟁이 일어났나 봐요》- 을 평생 잊지 못할 겁니다.

제가 사는 집 바깥에서 폭발음이 들려왔습니다.

그날이 있기 며칠 전부터 저희는 불안한 마음으로 살아왔습니다. 미국 정부가 우리 정부에게 알려주기를, 러시아가 우리나라를 공격할 것이라 했지만, 우리는 그런 일이 21세기에는 일어날 것으로는 믿지 않았습니다. 저는 즉시 수도 키이우에 사는 제 딸 가족(사위, 5살과 8살의 두 딸과 함께 살고 있음)에게 전화했습니다. 그 딸 가족은 방공호에서 이틀간 숨어 지내며 공습경보사이렌을 들어야 했습니다.

그 뒤 딸 가족은 서부의 다소 안전한 제 친구 집으로 피신해야 했습니다. 그랬는데, 그 서부에도 러시아 미사일이 날아와, 제 딸 가족은, 프랑스의 한 마음씨 좋은 가정이 저희 딸 가족을 받아 준 덕분에 그곳 프랑스로 다시 피신해야 했습니다.

Mia nomo estas Petro Palivoda. Mi estas 62-jara ukraina kaj esperanta poeto kaj tradukisto, mi loĝas kun mia edzino en vilaĝo situanta proksimume je 20 km de Kijivo (Kievo), ĉefurbo de Ukrainio.

Koreio ne estas fremda lando por mi. Lastatempe, Eldonejo Zindale en Seulo aperigis prozan libron de ukraina verkistino Ĥristina Kozlovska "Kato Floro" en tri lingvoj: korea, esperanta kaj angla. Mi esperantigis kaj angligis la verkojn en la libro, kaj tradukisto kaj redaktoro de la korea Esperanto-revuo TERanidO sinjoro Ombro-Jang koreigis ilin. Antaǔe la sama revuo publikigis en mia traduko prozajn kaj poeziajn verkojn de nuntempaj ukrainaj aǔtorinoj Ĥristina Kozlovska, Bohdana Jehorova kaj Maria Mikicej.

Jam dum pli ol kvardek tagoj mia Patrujo Ukrainio heroe rezistas al rusaj trupoj. Mi neniam forgesos la matenon de la 24-a de februaro, kiam proksimume je la 5-a horo mia edzino vekis min per la vortoj: "Leviĝu, milito estas". Ekstere estis aǔdeblaj eksplodoj. En la lastaj tagoj antaǔ la 24-a de februaro, ni vivis kun maltrankvilaj atendoj, la usona registaro avertis nian registaron, ke Rusio atakos nian landon, sed ni ne povis

- 164 -

kredi, ke tio eblas en la 21-a jarcento. Ni tuj telefonis nian filinon, kiu loĝis kun sia edzo kaj du filinoj (5- kaj 8-jara) en Kijivo. Ili kaŝis sin en la kontraŭbomba rifuĝejo dum du tagoj, kiam ili aŭdis alarmajn sirenojn, kaj poste veturis per la auto al mia bona amiko loĝanta en la okcidento de nia lando, kie estis iomete pli sekure. Sed rusaj misiloj komencis alveni tien, kaj nia filino kun la nepinoj decidis rifuĝi en Francio, kie unu familio afable kaj bonkore akceptis ilin.

2월 24일 아침, 저는 페이스북(facebook)에 이렇게 썼습니다: "공포에 떨지 맙시다! 우리는 우리나라, 내 땅에 있습니다! 하느님과 우크라이나 군인이 우리와 함께 있습니다!" 수많은 사람이, 특히 아이들을 데리고, 또 여성들이 더 안전한 장소로 외국을 포함해 피난해야 했습니다. 하지만 저와 아내는 제가 사는 마을에 남기를 결정했습니다. 저희는 저장된 채소와 통조림 음식을 준비해, 총탄이나 포탄이 투하되는 경우에도 숨을 만한 피신처를 마련했습니다. 저희 마을에 지역수비대가 조직되고, 그 구성원은 군 복무 경험이 있는 남자들로 구성되었습니다. 지역수비대에 소총도 지급되었습니다. 저희 마을의 입구에는 지역수비대가 소총으로 무장한 채 지키고 있습니다. 도로마다 적군 탱크가 지나가는 것을 막을 목적으로 차단 목도 마련했습니다.

저희 마을은 드니프로(Dnipro) 강의 왼편 경계에 위치합니다. 인근 마을 사람들까지는 다행히 전투나 로켓 포탄이 날아오지 않았습니다. 그래서 저희 마을은 러시아군에게 점령되지 않았습니다. 가장 큰 위험한 상황은 강 저 반대편에 벌어졌습니다. 그곳에는 러시아군이 수도 키이우로 쳐들어갈 시도를 했기 때문입니다. 그러나 저희 마을 집의 출입문과 창문은 포탄과 포병대 포격의 폭발음으로 매번 흔들렸습니다. 공습을 알리는 사이렌이 밤낮을 가리지 않고 연신 울려댔습니다. 지금의 수도 키이우 주변 전황은 다소 안정되었습니다. 왜냐하면, 저희 우크라이나 군대가 러시아군 공격을 막아냈고, 적들의 군대는 우리나라 동쪽과 남쪽으로 이동했기 때문입니다.

Matene de la 24-a de februaro mi afiŝis ĉe Fejsbuko: "Ne paniku! Ni estas sur nia tero! Dio kaj la Armitaj Fortoj de Ukrainio estas kun ni!" Multaj homoj, precipe virinoj kun infanoj, rifuĝis en pli sekuraj lokoj, inkluzive en eksterlando. Mi kun mia edzino decidis resti en nia vilaĝo. Ni aranĝis lokon en la kelo, kie estas stokitaj legomoj kaj ladmanĝaĵoj, por kaŝiĝi tie en la kazo de pripafado aŭ bombado. En la vilaĝo estis tuj organizita teritoria defendo, kies membroj iĝis la viroj, kiuj iam servis en la armeo. La defendanoj ricevis pafarmilojn. La enirejo kaj elirejo de la vilaĝo estas kontrolataj per ili. Vojoj estis blokitaj kontraŭ la ebla trapaso de malamikaj tankoj.

Nia vilaĝo situas sur la maldekstra bordo de la Dnipro Rivero. Fortune por la vilaĝanoj, sur nia bordo ne estis batalado aŭ raketatakoj kaj la vilaĝo ne estis okupita de la rusaj nazioj. La plej danĝeraj aferoj estis sur la mala flanko, kie la malamikoj provis traŝiriĝi al Kijivo. Sed la pordoj kaj fenestroj en niaj domoj skuiĝis pro eksplodoj de bomboj kaj artileria pripafado. Homoj dormis vestitaj aŭ en la keloj aŭ en relative sekuraj lokoj en siaj domoj. Sirenoj pri eventuala aerataka sonadis konstante: tage kaj nokte. Nun la situacio proksime de la ĉefurbo iomete trankviliĝis, ĉar niaj trupoj subpremis la rusan ofensivon, kaj restaĵoj de la malamikaj trupoj moviĝis al la oriento kaj la sudo de nia lando.

공습당한 곳은 우크라이나 주요 군대 관련 시설물은 물론이고, 거주지의 가옥, 병원, 조산소, 학교와 심지어 유치원도 대상이 되었습니다. 이 전쟁으로 수많은 시민이 사망했고, 아동도 마찬가지입니다. 진짜 대학살이 저들의 점령 지에서 자행되었습니다. 마리우폴(Mariupol), 이르핀(Irpin)과 보로단스카(Borodjanka) 같은 도시가 이제 전 세계에 알려지게 되었습니다. 그곳에서 러시아군은 야만적 본성을 드러냈습니다. 온 세계가 《부차(Buĉa) 학살 만행》에 충격을 받았습니다. 부차(Buĉa)는 키이우 인근 도시입니다. 러시아 점령군은 그 도시를 전부 파괴하고 시민 수백 명을 고문하고 결국엔 총살해, 전례 없는 야만성을 드러냈습니다.

그런 야만성과 추악함을 멎게 하는 것은 아무것도 없었습니다. 인간 존중이라든지 인권이라는 것을 저들은 모른 체했습니다. 저들은 부녀자를 강간하고, 무장하지도 않은 시민들에게도 총부리를 들이댔습니다. 시민들을 저들은 놀음 대상으로여기고만 있습니다. 야만적 짐승도 《해방군》이라는 이름으로 들이닥친 저들보다는 나을 것입니다. 민가에 있던 모든 것 -TV, 컴퓨터, 세탁기, 냉장고, 다른 가정용품, 보석, 의복, 심지어 수건이나 변기용 뚜껑마저- 은 약탈 당했고, 저들은 그 물품들을 자기네 집으로 가져갔습니다. 저들이 약탈한 물품들은, 심지어 집 지키는 개를위한 공간인 개집까지도 약탈해, 러시아군이 주둔해 있는 벨라루스(Belorusio) 땅을 통해 우편으로 러시아로 보낸다고 합니다. 제가 이 기고문을 쓰고 있을 때 러시아군이 여전히 시민들에게 총부리를 겨눈다는 메시지가 왔습니다. 저들은 이스탄데르(Iskander) 미사일로 철도역 크라마토르스크(Kramatorsk)를 공습했습니다. 50명 이상의 인명을 앗아갔고, 100명 이상의 시민이 상처를 당했습니다. 그 당시 역에는 피난하려는 시민들이 수천 명이 있었는데, 러시아군은 그 점을 이미 알고 있었는데도 말입니다. 테러와 살육만 일삼는 러시아군의 잔악무도함은 경계를 모릅니다.

우크라이나는 평화를 사랑하는 나라입니다. 우리나라는 다른 이웃나라를 한 번도 침범한 적이 없고, 앞으로도 그런 일은 없을 겁니다. 우크라이나에는 모든 사람이 인권으로 존중받고 있습니다. 하지만 러시아는 새 땅을 차지하려고 합니다. 그래서 푸틴(Putin)은 자신이 우크라이나를 나치로부터 해방시키겠다고 말합니다. 그에게는 나치라는 말은 우크라이나 말을 쓰면서, 자신의 나라 영웅을 존중하고, 우크라이나 문화를 발전시키는 사람을 가리키고 있습니다. 이 말은, 러시아 측에서 보면, 거의 모든 우크라이나 사람이 나치가 되는 셈입니다. 2014년에도 러시아는 우크라이나를 침략해 크림(Krimea) 반도와 도네츠카(Donecka)와 루한스카(Luhanska) 지방의 대부분을 점령해 있습니다. 지금 저들은 우크라이나 사람 전부를 자기네 국민으로 합병할 작정으로 하고 있습니다. 러시아 지도부는 그런 추악한 목표를 숨기지 않고 있습니다. 이것이 대학살입니다. 저들은 정말 나치처럼 행동합니다. 러시아사람들은 우크라이나 사람들을 겁주고 전세계 공동체를 자신의 핵무기로 겁주고 있습니다. 저들은 며칠 만에 우리나라를 정복할 계획을 세웠다고 합니다.

Ne nur militaj objektoj en Ukrainio estas bombardataj kaj pripafataj, sed ankaŭ loĝejaj domoj, hospitaloj, akuŝejoj, lernejoj kaj infanĝardenoj. Multaj civiluloj estas mortigitaj, ankaŭ infanoj. Vera genocido estas realigata en la okupataj setlejoj. Niaj urboj kiel Mariupol, Irpin kaj Borodjanka estas nun konataj en la tuta mondo, tie rusaj faŝistoj montris sian bestan naturon. La tuta mondo estis ŝokita de la "Buĉa masakro".

Buĉa estas urbo apud Kijivo, la rusaj monstroj detruis ĝin tute, kaj centoj da civiluloj estis torturitaj kaj poste mortpafitaj kun senprecedenca krueleco. Tiuj barbarojn kaj sovaĝulojn haltigas nenio. Homaj reguloj kaj normoj estas nekonataj al ili. Virinoj kaj infanoj estas seksperfortataj, kaj senarmaj civiluloj estas mortpafataj. Nur por amuzo. Eĉ sovaĝaj bestoj ne faras tion, kiel tiuj tiel nomataj "liberigantoj". Ĉio estas elprenata el la domoj: televidiloj, komputiloj, lavmaŝinoj, fridujoj kaj aliaj hejmaj aparatoj, juvelaĵoj, vestaĵoj, eĉ tolaĵo kaj fekseĝoj por hejmenporti. Ĉio prirabita, eĉ budoj por hundoj, estas ankaŭ sendata al Rusio per poŝto el la teritorio de Belorusio kie ankaŭ troviĝas rusaj trupoj. Kiam mi skribis ĉi tiun artikolon, venis mesaĝo, ke rusoj plu batalas kontraŭ civiluloj. Ili trafis la fervojan stacion Kramatorsk per misilo Iskander. Pli ol 50 homoj estas mortigitaj kaj pli ol 100 homoj estas vunditaj. Ĉe la stacidomo en tiu tempo estis miloj da homoj kiu volus evakuiĝi, kaj rusaj faŝistoj sciis tion. La nivelo de krueleco de la armeo de teroristoj kaj ekzekutistoj de la Rusa Federacio ne konas limojn.

Ukrainio estas pacema lando. Ĝi neniam atakis iun ajn kaj ne estis atakonta. En Ukrainio la rajtoj de ĉiuj homoj estas respektataj. Sed Rusio volas havi novajn teritoriojn, do Putin diris, ke li volas liberigi Ukrainion de la nazioj. Por li nazioj estas tiuj, kiuj parolas la ukrainan lingvon, respektas siajn heroojn kaj evoluigas sian ukrainan kulturon. Tio estas, por rusoj preskaŭ ĉiuj ukrainoj estas nazioj. En 2014, Rusio invadis Ukrainion kaj okupis la Krimean duoninsulon kaj grandan parton de Donecka kaj Luhanska provincoj. Nun ili decidis tute likvidi la ukrainojn kiel popolon. La rusa gvidantaro ne kaŝas tiun fian celon. Ĉi tio estas genocido. Tiel agas nazioj. La rusoj timigas ukrainojn kaj la tutan mondan komunumon minacante ilin per nukleaj armiloj. Ili planis konkeri nian landon dum kelkaj tagoj.

하지만 우크라이나는 싸우고 있습니다. 우리는 이전의 그 어느 때보다도 단결되어 있습니다. 그리

고 우크라이나에 사는 우크라이나어를 사용하거나
또 러시아어 사용하는 주민들은 저 점령군에 대항
하여 싸우고 있습니다. 최근 설문조사에 따르면,
우크라이나 주민의 약 95퍼센트가 우리 우크라이
나의 승리를 믿고 있습니다. 거의 전 세계가 우리
편에 서 있습니다. 우리의 푸르고 노란 국기는 전
세계에서 볼 수 있습니다. 어디서나 "우크라이나에
게 영광을! - 전쟁 영웅들에게 영광을!" 이라며 응
원 목소리가 들려 옵니다. 수많은 나라가 러시아
제제에 동참하고, 우리 피난민들을 받아주고, 우크
라이나를 재정적으로, 식료품으로 또, 가장 중요한
무기로써 돕고 있습니다. 저는 우리가 승리하리라
고 믿고 있습니다. 그렇지 않으면 우리는 망하기
때문입니다. 만일 우리나라가 무너지면, 그때에도
러시아는 멈추지 않을 것입니다. 저들은 자신들의
광적인 계획- 러시아 제국을 다시 세우려고- 다른
유럽과 아시아 나라들을 침략할 것입니다.

우크라이나는 전 세계 여러분의 지원이 필요합
니다. 저는 대한민국도 우리 편에 있음을 잘 알고
있고, 대한민국도 우리를 많이 돕고 있음도 알고
있습니다. 여러분은 무엇이 전쟁인지, 수년간의 전
쟁에서 어찌 살아남았는지를 잘 알고 있습니다. 그
러니, 여러분은 우리를 이해하고 있습니다. 그래서
위대한 대한민국 국민에게 진심의 감사를 표합니

다. 우크라이나를 계속 지지해 주십시오.

Sed Ukrainio batalas. Ni unuiĝis kiel neniam antaŭe. Kaj ukrainlingvaj kaj ruslingvaj loĝantoj de Ukrainio batalas kontraŭ la okupantoj. Laŭ la lastaj enketoj, ĉirkaŭ 95 procentoj de la ukrainia loĝantaro kredas je nia venko. Preskaŭ la tuta mondo estas ĉe nia flanko. Niaj bluflavaj flagoj estas videblaj tutmonde. Ĉie estas aŭdeblaj la vortoj: "Gloro al Ukrainio! - Gloro al herooj!" Multaj landoj adoptis sankciojn kontraŭ Rusio, akceptas niajn rifuĝintojn, helpas Ukrainion per financoj, manĝaĵoj kaj, plej grave, per armiloj. Mi certas, ke ni venkos, ĉar alie ni pereos, ĉar tiam Rusio ne haltos, ĝi atakos aliajn eŭropajn kaj aziajn landojn por realigi sian frenezan planon - restarigi la Rusan Imperion.

Ukrainio bezonas subtenon de la tuta mondo. Mi scias, ke via lando, Korea Respubliko, estas ĉe nia flanko, kaj ĝi multe helpas nin. Vi scias, kio estas milito, kiel vivi dum multaj jaroj en milito. Tial vi komprenas nin. Sinceran dankon al la granda korea popolo pro tio! SUBTENU UKRAINION!

La 10-an de aprilo 2022 (2022.4.10.)
Petro Palivoda, Ukrainio

*부산일보(2022.04.13.)에 번역기고한 역자 장정렬

우크라이나에서 온 편지 2

Pli ol cent tagoj de milito en Ukrainio
우크라이나에서의 전쟁 100일을 이겨내며

우크라이나에 자행한 광범위한 러시아 침공은 이제 이미 100일이 넘었습니다. 그 100일 이상의 나날은 러시아 점령군이 자행하는 정당화될 수 없는 살인, 잔혹한 일, 야만적인 일, 약탈과 파괴로 이어지고 있습니다.

러시아군은 수천 가옥을, 우리나라 문화유산 중 약 370점을, 또한 1,756개 교육시설을 파괴하거나 파손하였습니다. 러시아군은 약 300명의 우크라이나 아동을 죽음에 몰아넣었습니다.

민간인 주민들의 희생자 숫자는 정확히 알려지지 않고 있습니다. 왜냐하면, 예를 들어, 주검의 시신들은 우크라이나 도시 마리우폴(Mariupol)의 완전 파괴된 잔해물 아래서 지금도 연일 찾아낼 수 있으니 말입니다.

지난 100일간 이상을 우크라이나는 영웅적으로 러시아 침공에 맞서 싸우고 있습니다. 푸틴의 나라는 우크라이나를 며칠 만에 정복하고는 자신의 괴뢰정권을 내세워 권력을 유지할 계획을 세웠지만, 그 계획은 실패했습니다. 우크라이나 국민은 일심으로 단결해, 침략자들을 몰아내고 있습니다. 러시아군대는 우크라이나 수도 키이우(Kijivo) 점거를 시도하다 퇴각했습니다. 지금은 러시아군대는 자신들의 공격 루트를 우리나라 동부와 남부로 향하고 있습니다.

하지만, 만일 어느 마을에 포격이 없어졌다 해도, 그게 전쟁이 끝났다는 것을 말하는 것은 아닙니다. 이 전쟁은 아직도 끝나지 않았습니다. 이 전쟁은 계속되고 있습니다. 제 가족과 저는 키이우시 부근에 살고 있습니다. 비행기 공습 사이렌은 여전히 들려오고 있습니다. 러시아군의 로켓 공격으로 수도를 포함한 여러 도시의 수많은 시민이 죽고, 가옥들이 파괴되었습니다.

La plenskala milito de Rusio en Ukrainio daŭras jam dum pli ol cent tagoj. Pli ol cent tagoj da nepravigeblaj murdoj, kruelaĵoj, brutalaĵoj, rabado kaj detruado kiujn faras rusaj okupantoj.

Rusio detruis aŭ difektis milojn da loĝdomoj, ĉirkaŭ 370 objektojn de nia kultura heredaĵo kaj 1 756 edukajn instituciojn. Rusio mortigis ĉirkaŭ 300 ukrainajn infanojn.

La preciza nombro da viktimoj inter la civila plenkreska loĝantaro estas nekonata, ĉar, ekzemple, la korpoj de la mortintoj ĝis nun povas esti trovitaj sub la ruinoj de la plene detruita ukraina urbo Mariupol.

Dume pli ol cent tagoj Ukrainio heroe rezistas al rusaj invadantoj. Putinlando deziris konkeri Ukrainion dum kelkaj tagoj kaj doni potencon en nia lando al siaj marionetoj. Sed ĝiaj planoj malsukcesis. La ukraina popolo unuiĝis kaj repuŝis la agresantojn. Rusaj trupoj retiriĝis de Kijivo, la ĉefurbo de Ukrainio. Nun ili direktis siajn atakojn al la oriento kaj la sudo de nia lando.

Sed se forestas pafado en ies vilaĝo, tio ne signifas, ke forestas milito. Ĝi ne estas finita, ĝi daŭras. Mia familio kaj mi loĝas proksime de Kijivo. Aeraj alarmoj estas konstante aŭdataj. Rusaj raketoj atakas urbojn, inkluzive la ĉefurbon, mortigante civilulojn kaj detruante loĝdomojn.

러시아군은 민간인들도 죽이면서 잔혹한 범죄를 저지르고 있습니다. 한 예를 들면, 러시아군의 미사일 공격이 우리 남부 도시 오데사(Odeso)에까지 이어져 수많은 희생자가 생겼습니다. 그 많은 희생자 중에는 한 가족- 신문기자, 그의 아내(27살), 딸(3살)과 그 기자의 어머니- 도 포함되어 있습니다. 러시아군이 3세대가 사는 가족을 주검으로 몰았습니다. 또, 그 미사일 공격으로 제가 가르치던 제자 한 사람도 희생자가 되었습니다. -세르히(Serhij)라는 이름의 그는 4살 난 딸을 둔 청년 아빠였습니다. 그 제자는 제가 가르치던 학급에서 우수 학생이었습니다. 그 당시 저와 제 아내는 제가 사는 지역34)의 중학교 교사로 일했습니다. 그때 아내는 국어(우크라이나어)를, 저는 영어를 교과목으로 가르쳤습니다. 그 제자는 졸업 후, 오데사(Odeso)에서 직장을 얻어, 그 뒤 그곳에서 결혼해 생활하고 있었습니다. 그 제자가 희생을 당하던 당시, 다행히 그의 아내와 딸은 외국에 피난해 있어, 그 희생을 피할 수 있었습니다. 그 슬픈 소식이 저 흑해의 오데사에서 제가 사는 마을로 들려왔습니다. 그리고 그 제자 유해는 나중에 우리 마을 묘지

---

34) *역주: 수도 키이우 인근의 드네푸르 강 연안지역: 2,000명 이상의 주민이 거주함.

에 묻혔습니다.

외국으로 피난 갔던 수많은 시민이 다시 귀국했지만, 반면에 외국에 남아 있는 어머니들이나 아동들은 고국으로 돌아올 엄두도 내지 못한 채 매일 자기 자녀들의 삶을 걱정하는 실정입니다.

학교에서의 교육도 정상화되지 못하고, 인터넷 강의로만 이뤄지고 있습니다. 물론, 학생 모두가 그 인터넷 교육을 받는 것은 아닙니다. 인터넷망이 부족하거나, 뭔가 다른 중대한 이유로 그 학습에 참여하지 못하는 학생들도 있습니다. 보통은 9월 1일에 새 학년 새 학기가 시작되는데, 올해 9월에는 우리 학생들이 등교할 수 있을지, 아니면, 자신의 학급이 여전히 비대면으로 이뤄질지 아직은 명확하지도 않습니다.

어려운 상황은 교통수단용 연료 수급에도 있습니다. 왜냐하면, 적군이 그런 연료 생산 공장들을 파괴해버렸기 때문입니다.

Rusoj faras terurajn krimojn mortigante civilulojn. Ekzemple, kiel rezulto de rusa misila atako kontraŭ la urbo Odeso, ĵurnalisto, juna 27-jara virino, ŝia 3-monata filino kaj sia patrino estis inter la multaj viktimoj de tiu atako. Rusoj mortigis tri generaciojn de unu familio. Kaj sekve de tiu raketa atako ankaŭ mortis juna viro, patro de 4-jara knabino, nia iama studento, la plej bona studento en sia klaso - Serhij (mia edzino kaj mi iam laboris kiel instruistoj en nia vilaĝa lernejo, mi instruis la anglan kaj mia edzino - la ukrainan lingvon). Li loĝis kaj laboris en Odeso. Lia familio (edzino kaj filino estis tiam eksterlande). Do malĝoja novaĵo venis al nia vilaĝo el la urbo ĉe la Nigra maro. Kaj Serhij estis enterigita en nia vilaĝa tombejo.

Multaj homoj jam revenis el eksterlando, sed multaj patrinoj kun infanoj dume ne kuraĝas reveni al Ukrainio kaj riski la vivon de siaj infanoj ĉiutage.

Edukado en lernejoj estas farata interrete. Komprenelbe, ne ĉiuj studentoj povas aliĝi al ĝi pro la manko de Interreto aŭ pro iu alia serioza kialo. Ne estas tute klare kiel la nova lerneja jaro komenciĝos la 1-an de septembro, ĉu studentoj iros al lernejo aŭ estos en siaj klasĉambroj nur virtuale.

Malfacila situacio restas kun fuelaĵoj por transportiloj, ĉar la malamikoj detruas la fabrikojn kiuj produktas ilin.

지금 우크라이나에는 쉬운 것은 없다고 할 수 있습니다. 매일 100-200명의 우크라이나 군인이 전장에서 목숨을 잃고, 매일 약 500명이 포탄에 상처를 입고 있습니다. 우리 국토의 충분히 큰 땅이 적의 손아귀에 점령되어 있습니다. 러시아는 이미 그 지역을 자신의 영토로 합병하려고 합니다. 또 외국 신문 잡지에서 우크라이나 관련 기사 제목은 점차 줄어들고 있습니다. 우크라이나가 한시라도 급하게 중화기를 비롯한 군수 물자들을 외국에 지원 요청하고 있어도 말입니다. 하지만, 그렇다고 그것이 러시아군대가 우크라이나를 정복할 수 있도록 내버려 둔다는 말이 아닙니다. 왜냐하면, 그 러시아군대는 이곳 우크라이나에서 멈추지 않을 것입니다. 유럽과 전 세계가 위험에 처해 있습니다.

우크라이나에서의 평화는 지금 뭐라 말할 수 없습니다. 우크라이나를 향한 러시아군대의 가장 위험한 장면은 지금 시작되고 있습니다. 그리고 이는 길게 계속될 것입니다. 우크라이나에는 지금 긴급하게 중화기를 비롯한 무기가 필요하고, 더욱 엄격하게 대(對) 러시아 국제 제제도 필요합니다. 유럽 연합(EU)이 동의한, 어려움 속에서도 러시아의 나프타(원유)-수출 금지는 마침내 효력을 발휘해야 하고, 곧 이것은 더욱 강화되어야만 합니다. 외교력을 발휘할 시간은 러시아공격이 적어도 중단될 경우에만 올 것입니다. 군대 여름은 아주 뜨겁습니다. 모든 날이 전사자와 부상병의 숫자를 세야 합니다!

지난 2월 24일 오전 04시에 시작된 이 전쟁의 100일간, 우크라이나는 급속도로 변해 버렸습니다. 그럼에도 우리나라는 무너지지 않았고, 러시아 군대 계획을 실패하게 만들어, 이 위기를 극복해 나가니, 문명화된 전 세계에, 우리나라가 진짜 성숙한 국민으로, 단합이 잘 되어 있고, 용기가 있는 나라, 또 위기를 극복할 힘을 가진 나라임을 입증해 보여주고 있습니다. 또 우리는 어떤 사람들이 이름 지었던, 또 우리가 우리를 '무능한 나라'로 여겼던 그런 나라가 아님을 보여 주고 있습니다. 러시아 점령군에 대항하는 우크라이나의 영웅적 맞섬은 계속되고 있습니다. 전 세계는 우크라이나 사람들의 영웅적 행동에 찬사를 보내고 있습니다. 수많은 희생의 피눈물이 뿌려졌지만, 우리는 전 세계에 우리가 얼마나 강한지를 입증하고 있습니다.

백일의 우크라이나의 믿기지 않을 정도의 저항

은 서방의 공동체에 관심을 불러일으켰고, 유럽연합(EU)와 북대서양조약기구(NATO)를 포함해서 서방 세계에 러시아와, 그 자랑스럽게 말하는 《제2의 세계 군대》라는 러시아군이 정말 뭔지를 다시 눈뜨게 해 주었습니다. 결국, 그동안 우리 우크라이나는 세계 사람들에게 러시아 연방이란 자신들이 의도대로 되지 않음을, 동시에 러시아가 엄격하게 바른길로 자리매김하도록 모든 서방 세계에 확신하도록 도움을 주었습니다.

아무도 우리가 승리를 향해, 비록 그 길이 너무 오래 걸릴지 몰라도, 가고 있음을 의심하지 않습니다.

Ne estas facile en Ukrainio nun. Ĉiutage 100–200 ukrainaj soldatoj pereas en bataloj kaj ĉirkaŭ 500 estas vunditaj. Sufiĉe granda parto da nia teritorio estas okupata. Rusoj jam volas aliĝi ĝin al Rusio. Sed titoloj en eksterlandaj gazetoj pri Ukrainio iom post iom malaperas, kvankam Ukrainio bezonas subtenon pli ol iam ajn, inkluzive per pezaj armiloj. Tio ne estu allasebla, ke la malamiko povu konkeri Ukrainion, ĉar ĝi ne haltos tie. Eŭropo kaj la tuta mondo estas en danĝero.

Paco en Ukrainio estas nun iluzia. La plej danĝera fazo de la milito de Rusio kontraŭ Ukrainio komenciĝas nun kaj ĝi estos longdaŭra. Ukrainio urĝe bezonas pezajn armilojn, kaj ankaŭ pli severajn sankciojn kontraŭ Rusio. La nafto-embargo kun tiuj malfacilaĵoj interkonsentita de EU devas finfine ekvalidi kaj baldaŭ ĝi devos esti plifortigita. La tempo por diplomatio venos nur kiam la rusa ofensivo estos almenaŭ ĉesigita. La militsomero estos varmega. Ĉiu tago estu lalkulata!

Dum tiuj 100 tagoj - ekde la 4-a horo de la 24-a de februaro - Ukrainio draste ŝanĝiĝis, ĝi pluvivis kaj ne disfalis, malsukcesigis la planojn de Rusio, pruvis al la tuta civilizita mondo, ke ni estas vere matura nacio, unuiĝinta kaj kuraĝa, kun forta volo rezisti kaj venki, kaj ni estas ne ia "nekapabla ŝtato", kiel iuj nomis kaj reprezentis nin. La heroa konfrontiĝo de Ukrainio kun la rusaj okupantoj daŭras. La tuta mondo admiras la heroecon de la ukraina popolo.Multe da sango kaj multe da larmoj estas verŝitaj, sed ni pruvis al la tuta mondo, kiel fortaj ni estas.

Cent tagoj de la nekredebla rezistado de Ukrainio vekis okcidentajn komunumojn, malfermis iliajn okulojn, inkluzive de EU kaj NATO, pri tio, kio vere estas Rusio kaj ĝia laŭdata "Dua Monda Armeo", kaj fine helpis konvinki ĉiujn, ke la Rusa Federacio ne devas esti konvinkata, sed rigide esti metita sur la ĝustan lokon.

Neniu dubas, ke ni iras al venko, kvankam tiu vojo povas esti tro longa.

우리는 대한민국의 지원을 포함해, 전 세계의 지원에 존경과 감사를 보냅니다. 그 점에 있어 다시 한번 감사를 표하고 싶습니다. 최근 대한민국의, 여당 《국민의 힘》 이준석 대표를 비롯하여 국회의원 대표단이 수도 키이우 시내의 수복 지역을 방문했습니다35). 그 대표단은 부차(Bucha) 시내 고

---

35) *역주: 2022년 6월5일자 홈페이지 기사

문으로 숨진 이들의 묘지도 방문했고, 이르핀 (Irpin) 시의 파괴된 거주지역도 방문했습니다. 여기서 러시아군 침공으로 폐허가 된 시가지의 전쟁 복구 사업의 협력과 공동 프로젝트 협의가 있었습니다. 대한민국은 러시아의 대대적인 침공 초기부터 서방의 제재에 동참해 왔습니다. 지난 4월에는 우리나라 볼로디미르 젤렌스키(Volodiiyr Zelenskij) 대통령님이 대한민국 국회에서의 화상 연설을 통해 우리 나라에 지원을 호소했습니다.

우리는 하나님을 믿고, 우크라이나 군대를 믿고, 문명 세계인의 지원을 믿고 있습니다! 또 우리는 이 저질스런 야만의 전쟁에서 승리를 얻을 것입니다!

Ni respektas subtenon de la tuta mondo, inkluzive subtenon de via lando - Korea Respubliko, kaj tre dankas pro tio. Lastatempe, parlamenta delegacio de via lando gvidata de la estro de la reganta partio "La Forto de la Popolo" sinjoro Lee Jun-seok vizitis la liberigitajn loĝlokojn de

---

https://espreso.tv/parlamentska-delegatsiya-respubliki-koreya-vidvidala-buchu-ta-irpin-kuleba «대한민국 국회대표단이 부차 시와 이르핀 시를 방문했다»고 알리고 있으며, 3장의 방문 사진이 실려 있습니다.

Kijiva regiono. La delegitoj vizitis la tombolejojn de ĝismorte torturitaj civiluloj en Buĉa kaj detruitajn loĝkvartalojn en Irpin. Direktoj de kunlaboro kaj komunaj projektoj en la kadro de la restarigo de Kijiva regiono post la rusa invado estis diskutitaj.

La Korea Respubliko subtenis okcidentajn sankciojn ekde la plenskala invado de Rusio. En aprilo nia prezidanto Volodiiyr Zelenskij apelaciis al la korea parlamento por subteno. Kaj la popolo de Koreio aŭdis nin.

Ni kredas je Dio, la Armitaj Fortoj de Ukrainio kaj subteno de la tuta civilizita mondo! Kaj ni kune venkos tiun fian beston!

Petro Palivoda,
Ukraina poeto kaj tradukisto
우크라이나 시인이자 번역가
페트로 팔리보다.

폴란드에서 온 편지 1

"싸움은 어른들에게 맡겨 둬...너는 우리 곁에
서 쉬고 놀렴"[36]
- 유치부 교사 그라지나 슈브리친스카
(Grażyna Szubryczyńska)

Komuna lingvo necesas 공통어가 필요해요

저는 폴란드 중부 토룬(Torun)시의 제35 초등
학교 내 유치원 부서에서 일하고 있습니다. 저는
대학원에서 교육학(초등 교육)을 전공했습니다. 제
가 사는 토룬 시는 지동설을 주장한 코페르니쿠스
(1473-1543)가 태어난 곳입니다. 저는 이곳에서
이미 3년째 똑같은 나이의 아동들에게 에스페란토
를 가르치고 있습니다. 즉, 그런 식으로 나는 그들
에게 모든 나라와 문화에 대한 관용과 존경심을 이
곳 아동에게 가르치고 있습니다. 2022년 2월 말,
우크라이나에 대한 공포의 전쟁소식이 들려오기
시작했고, 그 이후로 저는 6살 아동에게 전쟁 이야

---

36) *역주: 부산일보 2022년 4월 21일(목) <우크라이나
난민과 함께합니다> 기고문

"싸움은 어른들에게 맡겨 둬… 너는 우리 곁에서 쉬고 놀렴"

기를 들려줘야 했습니다. 우리 학급의 아동들도 정말 그 소식을 듣고 있지만, 학부모들은 자식들에게

이를 주제로 대화를 나누는 것을 주저했습니다.

우리는 우리 학급 출입문에 푸른색-노란색 하트(심장) 모양을 직접 걸어 두기를 결정했습니다. 저희 학급에서는 자주 폴란드와 우크라이나의 우의를 위해 그런 그림을 그립니다. (심장모형은 폴란드와 우크라이나 두 나라 국기와 비슷하기 때문입니다.)

제가 근무하는 학교도 우크라이나를 도울 다양한 물품을 모집한다는 안내문을 학생들을 통해 집으로 통지문을 보냈습니다, 이는 주로 우리 도시의 우크라이나 자매도시 우츠크(Luck,루츠크)에 보낼 위문 물품이었습니다. 학부형들이 자신의 아이들과 함께 학교로 엄청 많은 물품을 가져왔습니다.

저희 반 아동은 거의 모든 그림에 우크라이나 국기를 붙였습니다.

어느 때, 제가 한 남자 아동에게 물었습니다: "만일 우리가 지금 폴란드-우크라이나 축구 경기를 보고 있다면, 너는 어느 팀이 이기기를 바래?" 그 물음에 그는 쉽사리 답을 내놓지 않았습니다. 점심시간이 지나, 우리는 학교에서 평소처럼 책 읽기를 시작했습니다. 그런데 그날 우리 학급 아동들은 곧장 제게 불평을 쏟아 놓았습니다: "다른 반은 이미 우크라이나 학생들을 받았다고 하는데, 그럼 우리는 언제 그들을 받아요?" 한 시간 뒤, 학교 관계자가 와서, 우리 학급에 새로 책걸상을 몇 점 가져다 놓았습니다.

저희 아동들은 우리도 이제 누군가를 손님으로 받아들일 수 있겠구나 하는 희망의 반응을 보냈습니다. 자기 옆에 누굴 앉힐 것인지, 내 짝으로 오는 손님 학생에게 무슨 선물을 줄 것인지 서로 말하기도 했습니다, 곧 나는 이 사항은 의무적인 것은 아니지만, 만일 누군가 할 수 있으면... 이라고 써서 저희 학부형께 통지서를 보냈습니다.

다음 날 아침, 우크라이나에서 피난 온 2명의 남자 아동을 환영하는 수많은 과자, 책, 장난감, 필통 또 액세서리가 선물로 저희 학급에 보내왔습니다.

그 2명의 남자 아동은 형제인데, 같은 해에 태어났다고 합니다. 형은 1월에, 동생은 12월에. 우크라이나에 있을 때, 형은 초등학교에 들어가 배웠지만, 폴란드 학제가 조금 달라, 그 형은 다시 유치부에 속해야 했습니다. 그 형은, 우크라이나어와 러시아어를 조금 알고 있어, 온 유치부에서 통역사이자 도우미 역할을 해 주었습니다.

Mi laboras en infanĝardena parto de toruna bazlernejo n-ro 35. Mi magistriĝis pri pedagogio, specialiĝis pri komenca edukado. Urbo Torun estas fama pro la naskiĝloko de astromo Kuperniko. Jam trian jaron mi uzas Esperanton kun ĉiam samaj infanoj. I.a. tiamaniere mi edukas ilin al toleremo, respekto al ĉiu nacio kaj kulturo.

Fine de februaro 2022 venis teruraj novaĵoj pri Ukrainio, post kiuj mi devis kun 6-jaraj infanoj interparoli pri milito. Miaj lernantoj ja aŭdis la informojn, sed gepatroj ne tuŝis kun ili la temon. Ni kune decidis ornami pordon de nia klaso per proprefaritaj blua-flavaj koroj. La lernantoj ofte desegnas pri amikeco inter Pollando kaj Ukrainio (la koroj similas al pola kaj ukraina flagoj) Tuj aperis ankaŭ anonco, ke nia lernejo kolektas diversajn aĵojn, ĉefe por nia ĝemelurbo Łuck. Infanoj kun gepatroj portis tro. Sur preskaŭ ĉiu desegnaĵo infanoj metadis flagon de Ukrainio. Iun fojon mi demandis unu knabon; "Mi vidas futbalmatĉon inter Pollando kaj Ukrainio, kiu venkos?"- li ne ektrovis respondon. Post iom da tempo mi venis al la laborejo dum tagmanĝo; poste ni kutimas legi librojn, sed tiu tage miaj lernantoj tuj komencis plendi: "Alia grupo jam havas propran ukrainidon, kiam havos ni?". Post horo zorgisto portis aldonajn seĝojn.

La infanoj reagis per espero, ke ni gastos iun kaj planis, kiu povos sidi ĉe kiu, kiu kion donacos. Baldaŭ mi skribis al iliaj gepatroj, ke mi ne ordonis tion, sed se iu deziros···

Sekvan matenon du ukrainaj knaboj ricevis bonvenigajn multegajn dolĉajojn, libretojn, ludilojn, krajonujojn kaj akcesorajôjn.

La du fratoj naskiĝis saman jaron: unu januare, dua decembre. La pli aĝa en Ukrainio lernis en lernejo, sed pro alia eduksistemo en Pollando li devis reveni al infanĝardeno. Li rapide fariĝis por tuta infanĝardeno tradukanto kaj helpanto, malgraŭ ke parolis nur ukraine kaj ruse.

저희 학급은 아주 당연하게 같은 나이의 아동도 추가로 받았습니다. 우리는 그 아동들의 행동을 흥미롭게 관찰했습니다, 하지만,... 처음에 우리가 그 우크라이나 아동들에게 너무 관대하게 대해, 이것 저것 하도록 허락해 주었답니다. 나중에야 저는 여러 번 설명해야 했습니다. 학급 내 행동 방식은 27명 아동 모두에게 똑같다는 것을 연신 설명해야 했습니다.

그 형제 중 동생은 곧 다른 아동과 마음을 터놓게 시작해, 더는 온종일 겨울에 쓰는 목도리(한국어로 '후드', 영어로 'hood')를 더는 쓰지 않으려고 했습니다. (그게 독일 나찌 때 학생 모습이 생각난다며, 그 아동은 그걸 두르는 것을 그만하고는, 두려움도 달아나기도 멈추었습니다.) 그 형제 둘 다 빨리 놀이, 앉기, 춤추기에 있어 다른 아이들과 잘 소통했습니다. 하지만, 저는 학급 수업 때나 놀이를 함께 할 때 러시아어를 자주 사용해야 했습니다.

또 제가 너무 오래 폴란드말로만 말하고 있으면, 그 형제는 곧장 요청했습니다:"그럼 저희는 어떻게 해요?" 그 형제는 수업 활동에도 아주 활발했습니다. 같은 낱말을 러시아어-우크라이나어-폴란드어로 써 놓고 비교해 가면서, 그 아이들은 재빠르게 자신의 낱말들을 풍부하게 했고, 더 많은 폴란드 문장을 사용하고, 아주 잘 이해하기도 했습니다.

오늘은 3명의 어린 피난 아동의 엄마들과 또 다른 학급의 아동 엄마와 더 길게 대화를 했습니다. 저는 그들을 도와주려고 많이 애쓴 것 같아도, 집에 돌아와서는 그 가족의 운명을 생각하며 울었습니다. 저 가족의 앞으로의 운명은 어찌 될런지?(3

월 30일자 필자의 페이스북에서)

러시아어를 사용할 줄 모르는 다른 학급의 우크라이나 학생들의 생활은 더 다양한 모습을 보였습니다. 그 학급 담임 여선생님들은 그런 피난민 아동이 우크라이나어를 조금 더 배우고 익히도록 애를 쓰고, 여러 번역 도구를 사용하였지만, 아동과의 친교나 이해 속도가 더디기만 했습니다.

3살과 4살의 아동들은 언제나 여선생님들과 함께 있지 않으면, 혼자 있는 편입니다. 5살 된 여자 아동 둘은 같은 나이 또래의 여아와 함께 놀기를 좋아합니다. 하지만 그 아이들은 직장 생활하는 부모들로부터 격리되어 있기 때문인지 자주 울거나 슬픔을 나타내기도 합니다. 하지만 그 반에서의 가장 큰 문제를 가진 이는 다니엘이라는 아이입니다. 그 아이 반의 선생님들은 제게 말하기를, 그 아이는 여기 배정받은 셋째 날도 같은 뭔가를 말하고 있다고 합니다. 내가 그 반의 그 아동에게 다가가니, 그 아이가 말하는 것이 들려왔습니다:"러시아가 우리를 침략했고, 우리가 사는 집을 파괴했고, 나는 엄마와 우리 아이들과 함께 피난해야 했어. 여러분이 저를 받아줘 고마워." 얼마나 그 귀여운 아동이 이곳 어깨 동무에게 그 말을 고백하는데, 또 그가 하는 말을 이해해 줄 사람을 만나는데, 얼마나 많은 시간이 필요했는지요!

공통의 놀이 시간에 바깥에서 몇 명의 아이가 불평합니다, 언제나 그 학급 아동들은 자신들이 모래로 뭔가 모래성을 쌓아두면, 다니엘이 와서 그걸 뭉개 버린다고 불평했습니다. 내가 그런 사정을 설명해주자, 그 아이는 그런 행동을 즉각 중단했지만, 곧 그 아동은 막대기로 교내 나무들을 크게 때리면서, 자신이 하고 싶은 말을 토로하기 시작했습니다: "나는 러시아를 없애버릴 테다, 그들이 아무도 더는 상처를 주지 못하도록 말이야." 그래서, 나는 저 나무들도 네가 때리면 고통을 당한다고 설명하니, 그 아동은 제게 이런 요청을 했습니다: "저와 좀 놀아 주세요, 뭐든 하면서요. 제 곁에만 좀 있어 주세요." 다른 사례도 있습니다. 그 아동은 자신이 태어나 자란 곳에 체험한 여러 차례의 포탄 공습을 이야기해 보려고 나를 불러 세우기도 했습니다. 나는 그러면 제안을 하기도 합니다: "싸우는 일은 어른들에게 맡겨 둬요. 너는 지금 우리 곁에 안전하게 있단다. 놀이도 하고, 먹기도 좀 하렴."(그 다니엘이라는 학생은 나를 만나고 난 뒤에야 뭐든 먹기 시작했답니다); 그러자 저는 그로부터 더는 전쟁에 대해 듣지 않았고, 나를 보면 살짝 웃음을 되찾은 것 같습니다, 그 아이에게는 자신이 이해할 수 있는 한 가지 문장, 한 가지 언어이면 충분했습니다.

어느 날, 선생님 중 한 분이 병가를 내는 바람에 제가 두 반을 합반해 수업하게 되었습니다. 저는 우리 유치부의 7명의 우크라이나 피난민 학생도 돌봐야 했습니다, 그들은 수많은 말을 했지만, 거의 우크라이나 말만 했습니다, 나는 언제나 반응을 보였습니다. "그거 정말? 그래서? 그런 행동은 하지마! 그 장난감을 돌려 줘요..." 학급의 도우미 선생님들은 그 아이들이 그만큼 개방적이고, 말수가 많고, 유쾌하게 지내고 있음을 처음에는 믿지 않으려고 했습니다. 그 아동들은 내 대답도 때로는 필요하지 않고, 오로지 자신을 이해하는 사람에게만 대화하려고 합니다.

나는 그들을 안아주고, 그 아동에게 "안녕하세요, 재미있게 지내요"라는 등의 간단한 인삿말을 하기 위해서만 다른 학급에도 자주 들어가 보려고 노력합니다. 그 아동이 등교하는 동안, 또 하교 때 집에 가려고 할 때, 그 아동 모두 제 학급에 들러, 나를 한 번 보고는, 순간 곧장 웃음을 보이며, 내게 안기려고 달려오고, 뭔가를 황급히 말하려고 달려옵니다.

그 아동들의 어머니들이 내게 조직의 일로 도움을 주러 오기도 하고, 그들 행동을 물으러 오기도 하지만, 그들이 폴란드 안에서 일자리를 성공적으로 찾았다는 것을 자랑하러 오기도 합니다.

만일 다양한 나라의 사람들이 ―아동이든 학부
형이든 공통의 언어인 에스페란토를 사용한다면,
그 피난민들의 삶은 얼마나 좀 더 쉬울까 하는 생
각을 하며 제 글을 마칩니다.(*)

Mia grupo tute nature akceptis la
samaĝulojn, kun intereso observis iliajn
agojn, sed.. .permesadis al ili tro. Mi devis
multfoje klarigi, ke kondutkodo egalas por
ĉiuj 27 infanoj. La pli juna frato baldaŭ
malfermiĝis, ne plu uzis tutan tagon
kapuĉon(Kapuĉo koree signifas '후드', angle
hood. La knabo ĉesas porti ĝin, ĉar
malgermiĝas, ĉesas timi kaj forkuri.), ambaŭ
rapide komencis ludi, sidi kaj danci ankaŭ
kun aliaj infanoj. Sed mi ofte uzis rusan
lingvon dum instruado kaj ludado. Kiam mi
tro longe parolis nur pole, la fratoj tuj
postulis: "Kaj ni?". Ambaŭ tre aktivas dum
lecionoj. Komparante samajn vortojn
ruse-ukraine-pole ili rapide riĉigas propran
vortaron, uzas pli kaj pli multajn pollingvajn
frazojn kaj komprenas multege.

„HODIAŬ MI PAROLIS PLI LONGE KUN

PANJOJ DE MIAJ 3 ETAJ RIFUĜINTOJ + UNU NOVA DE ALIA GRUPO. MI EGE STREBAS HELPI AL ILI, SED REVENANTE HEJME MI PLORAS PRI ILIA SORTO. KIA ESTOS ILIA ESTONTECO?"(El Marto 30)

Tute diverse aspektis asimilado de ukrainidoj en aliaj grupoj, en kiuj neniu uzas rusan lingvon. La instruistinoj strebis iom lerni ukrainan lingvon, uzas modernajn tradukilojn, sed infanoj sentas neniun proksimecon, komprenemon.

La 3- kaj 4-jaraj knaboj ĉiam estas aŭ kun la instristinoj, aŭ sole. Du 5-jarulinoj ludas kun samaĝulinoj (unu kun la alia ne), izoliĝas de maturaj laboristoj kaj ofte ploras aŭ estas tristegaj. Sed la plej severajn problemojn en sama grupo havas Daniel: Liaj instruistinoj rakontis, ke li trian tagon parolas ion saman. Kiam mi venis al li mi tuj ekaŭdis: "Rusoj nin invadis, detruis mian domon, mi devis forkuri kun panjo kaj niaj beboj. Dankon, ke vi akceptis nin". Kiom longe la etulo bezonis konfesi tion aŭ iu, kiu komprenas!

Dum komuna ludado ekstere kelkaj infanoj plendis, ke Daniel ĉiam detruas iliajn konstruaĵojn de sablo. Post mia klarigo li tuj ĉesis tion fari, sed baldaŭ komencis bategi per bastono arbojn dirante al si mem: „Mi strebos nuligi la rusojn, ili ne plu vundos iun ajn." Mi klarigis, ke la arboj suferas, kaj la knabo ekpetis: "Ludu kun mi, ion ajn. Nur estu ĉe mi". Alian fojon li vokis min por rakonti pri sekva bombado de lia naskiĝurbo. Mi proponis: "Restigu batalojn por maturaj personoj. Vi nun estas sekura ĉe ni, amuziĝu, manĝu" (Daniel manĝis ion ajn nur post kontakto kun mi); de tiam mi ne plu aŭdis de li pri la milito, li komencis rideti. Sufiĉis unusola frazo en komprenebla por li lingvo!

Iun tagon pro malsano de unu instruistino grupoj estis ligitaj kaj mi okupiĝis pri ĉiuj jam 7 ukrainaj lernantoj de nia infanĝardeno. Ili parolis multe, preskaŭ nur ukraine, ankaŭ al mi. Mi ĉiam reagis:

"Ĉu vere? Jes? Ne faru tion! Redonu la ludilon...". Helpantino ne volis ekkredi, ke la infanoj povas esti tiom malfermitaj, parolemaj, gajaj". Ili eĉ ne bezonis ricevi mian respondon, nur paroli al iu, kiu komprenas.

Mi strebas ofte eniri aliajn grupojn por nur brakumi ilin, diri "Saluton, amuziĝu bone" aŭ ion similan. Dum alveno al nia edukejo kaj antaŭ reveno al hejmo ĉiu el ili eniras mian klason kaj tuj ridetas, kiam vidas min, kuras por brakumi, ion rakontas rapidege.

Iliaj patrinoj venas helpi al mi en organizaj aferoj, demandas pri konduto aŭ laŭdis, ke ili sukcesis ektrovi laboron.

Kiom pli facila estus vivo de la rifuĝintoj, se ĉiuj homoj en diversaj landoj: infanoj kaj adoleskuloj uzus lingvon Esperanto.

*Ukraina helpilo por fuĝintoj celata
우크라이나 피난민을 위한 도움 도구

지금까지 우크라이나 인구 중 10% 이상인 4백만 명 이상의 국민이 자신의 조국을 떠나 피난했습니다. 그 피난민들 대부분은 폴란드, 슬로바키아, 헝가리, 루마니아와 몰다비아로 왔습니다. 피난민들은 계속해 차량을 이용해 오스트리아, 독일, 프랑스, 이탈리아로 피난하고, 그 중 대부분은 우크라이나어 외에는 다른 국어를 사용할 줄 모릅니다.

호에르 의사 부부(D-ro Gert Hoyer 와 D-rino Uta Hoyer)의 저서 〈Aerztlicher Dolmetscher〉(2판)에 기초한 번역 도구가 3개국어(영어-에스페란토-스페인어)로 된 의사용 번역 도구를 처음 전자 문서(소프트웨어)가 준비되었다고 합니다. 우리는 이 소프트웨어를 우리의 독일 친구들에게 보내, 그들이 저자에게 사용 허락을 얻고, UMEA(세계의료인에스페란토회: 1908년 창립: http://umea.fontoj.net/historio/) 단체가 영어-에스페란토 기반의 우크라이나어도 포함해 이 소프트웨어를 개발할 권리와 허락을 얻을 준비를 해 두었습니다. 만일 이것이 준비되면, 우리는 이를 다른 나라 언어로도 준비해서 보급할 수 있을 겁니다. 예를 들어, 영어-에스페란토-폴란드어, 영어-에스페란토-슬로바키아어 등으로 말입니다. 이 24쪽의 번역도구를 준비해 보급함이 어떤 장점이 있을까요? 그것은 아마도 우크라이나 환자들을 -

그들의 사용언어나 아니면 그들이 친한 언어로- 직접 대해 진료해야 하는 의사들에게 도움이 되지 않을까요?.(세계에스페란토협회   부회장   스테판 맥길(Stefan MacGill)

(〈stefan.macgill@gmail.com〉) 의 이메일에서.)

Ĝis nun jam pli ol 10 % de la ukrainia loĝantaro, pli ol 4 milionoj da homoj, rifuĝis el sia patrujo. La plimulto de la rifuĝintoj alvenis en Pollandon, Slovakion, Hungarion, Rumanion kaj Moldavion. Multaj rifuĝintoj veturis/veturas plu al Aŭstrio, Germanio, Francio kaj Italio, kaj multaj el inter ili parolas nur la ukrainan lingvon.

Pretiĝis   la   elektronika manuskripto/dosiero de la unua tri-lingva, angla-esperanta-hispana   kuracista tradukhelpilo surbaze de la 2-a eldono de la valora libro de D-ro Gert Hoyer kaj D-rino Uta   Hoyer,   sub   titolo   Aerztlicher Dolmetscher. Ni sendis ĝin al niaj germanaj kolegoj, por ke ili prezentu ĝin al la aŭtoroj, kaj akiru ilian permeson, ke la komunumo de UMEA havu la rajton pretigi ankaŭ la anglan-esperantan ukrainian varianton. Poste ni planas pretigi kaj disvastigi ankaŭ aliajn, bezonatajn variantojn, ekzemple la a n g l a n - e s p e r a n t a n - p o l a n, anglan-esperantan-slovakan, kaj⋯ plianj. Kiujn avantaĝojn havus la pretigo kaj disvastigo de tiuj ĉi 24-paĝaj kajeretoj/tradukhelpiloj? Tio helpus al kuracistoj komuniki rekte kun ukrainaj pacientoj, en la propra lingvo aŭ alia lingvo konataj al ili.(원천: Fwd: AMO 23 HEA festis Stefan MacGill ⟨stefan.macgill@gmail.com⟩ 22.04.19 15:12)

폴란드에서 온 편지 2

SITUACIO DE LA UKRAINAJ FAMILIOJ
EN POLA LERNEJO
폴란드 학교의 우크라이나 피난민 가족의 상황
-유치부 교사 그라지나 슈브리친스카
(Grażyna Szubryczyńska)

필시 여러분은 부산일보 (2022년 4월 21일 (목)) 기고문을 보셨을 겁니다. 그 때문에 저는 그 주제를 이어가고자 합니다.

제가 근무하는 제35 초등학교에서는 우크라이나 피난민 아동을 위한 특별 학급을 편성했습니다. 그래서, 교육청과 초등교육 교사들은, 여름이 지나, 우크라이나 피난민 아동과 폴란드 아동이 함께 수업할 수 있도록 준비하고 있습니다. 제가 사는 토룬(Torun) 시에서 이미 3년째 유학 와서 배우는 우크라이나 청년 여성이 있는데, 그녀가 그 학급을 위한 통역도 하고 도우미 역할도 합니다 -즉, 이는 그 아동들에게 용기를 북돋우기 위함입니다. 그 아동들은 폴란드어와 폴란드 문화를 배우게 됩니다.

그러나 다른 사례도 있습니다. 아직 그 피난민 중에 자신의 아동을 그런 학급에 등교하는 것을 결정하지 못한 그런 다른 아동은 그만큼 나은 상황을 접하지 못하고 있습니다. 이는, 즉, 아동은 재능이 있으나 폴란드어를 충분히 사용할 줄 모르면- 교육의 다음 단계(상급학년으로의 진급)로 갈 권한을 부여받지 못할 겁니다. 더구나 그 사람들은 피난민 아동이 자리할 추가 인원이 언제 생길지도 모릅니다. 유치원에서는 지금까지는 한 학급에 25명 정원에 추가 3명을 더 받을 수 있지만, 여름이 지나면, 아마 그 점이 큰 문제로 대두될 수도 있을 겁니다.

우크라이나 가족들은 이제 좀 더 길게 폴란드에 남을지, 아니면 폴란드에 영주할지 결정합니다. 지난번 기사에 다룬 그 다니엘 아동의 경우- 지난번 기사에서 자세히 전한 그 아동에게 생긴 문제를 소개했듯이 -그 아동의 가족은 우크라이나로 다시 귀향했습니다. 그와 작별 인사를 나눌 때, 그 아동은 제게 이런 말을 남겼습니다: „선생님, 저를 절대 잊으면 안 됩니다! 제가 선생님을 저희집에 초대하고 싶다는 그 점을 꼭 기억해 주세요. 선생님은 제게 그 약속을 해 주실 거죠?"

제가 뭐라 답을 해야 할까요? 사실, 그 아동의 집은 그 전쟁으로 인해 부서져 버렸습니다. 그 아동의 엄마는 늙으신 할머니를 돌봐야 하기에 귀국을 결심했습니다.

그런데 오늘 다시 그에 대한 소식을 알았습니다. -그 가족 전부가 다시 제가 사는 토룬 시로 오고 있다는 사실을요. 그렇게 선택한 이유는- 그 가족이 귀향해 가 본 자신의 작은 도시는 그사이에 형편없이 변해버린 위생 환경과, 치솟은 식료품 비용, 고물가, 또한 그 아동이 여전히 겪는, 더 심각해진 심리 상태로 인해서요. 저는 토룬 시를 목표로 해서 오는 그들의 이번 피난 길은 나흘을 넘기지 않기를, 또 지난 2월보다는 날씨 또한 호의적이기만 바랍니다.

우리가 돌보고 있는 우크라이나 피난민 아동은 이제 더욱 충실하게 수업에 임하고, 처음 그 아동들이 왔을 때, 이곳의 어느 학부모가 우연하게 그 아동들과 접촉했을 때, 그렇게 자주 펄쩍 놀라던 것도 이제는 좀 수그러졌습니다. 하지만 늘 그 아동들은(그 아동들의 엄마들도 마찬가지로) 자신이 안전한 상태에 있음을, 토룬 시민들이 환대하고 있고, 이해심으로 그들을 대하고 있다는 평소와 같은 확신의 안심하는 마음이 필요합니다. 제가 지도하는 학급의 6살짜리 아동은 아직도 비행기 소리만 들어도 공포감으로 무서워합니다. 심지어 제가 그 비행기가 우리가 있는 곳에서 아주 멀리에 있다고 알려줘도 말입니다.

Espereble vi legis mian artikolon en la lasta TERanidO (20220430), ĉar nun mi deziras daŭrigi la temon.

Nia lernejo organizis specialan klason por lernantoj el Ukrainio; pedagogo kaj instruistoj de komenca edukado pretigas la infanojn por ili post somero lernu kune kun polaj lernantoj. Juna ukrainino, kiu jam trian jaron studas en Torun helpas tie kiel tradukantino kaj helpantino - tio donas al la junularo kuraĝon. Ili ankaŭ ekkonas polan lingvon, kulturon. Aliaj infanoj, kies gepatroj ne decidis ĉeesti la klason troviĝas en ne tiom bona situcio: lernantoj kapablaj, sed kun ne sufiĉe bona kono de pola lingvo ne rajtos iri al sekva nivelo de edukado. Krome oni ne scias, ĉu restos aldonaj lokoj por la lernantoj. En infanĝardeno ĝis nun rajtas esti 25 plus 3 lokoj, post somero ŝajne estos granda problemo pri tio.

Ukrainaj familioj komencas decidi, ĉu resti por pli longe aŭ eĉ por ĉiam en Pollando. La Daniel - kies problemojn mi priskribis pli detale en la mia antaŭa artikolo - revenis al Ukrainio. Dum adiaŭo li diris al mi: „Onklineto, neniam forgesu min! Memoru, ke mi invitis vin al mia hejmo. Ĉu vi promesas veni?" Kion mi respondu, ja ĝia domo estas detruita. Lia panjo decidis reveni por zorgi maljunan avinjon. Hodiaŭ mi eksciis, ke la tuta familio denove veturas al Torun pro aĉaj higienaj kondiĉoj en la ukraina urbeto, ege altaj prezoj de malfacile atingebla nutrado kaj ankoraŭ pli grandaj emociaj problemoj de Daniel. Mi esperas, ke ĉi-foje ilia vojaĝo ne daŭros kvar tagojn kaj vetero estos pli favora ol en februaro.

La niaj ukrainidoj estas pli kaj pli fidelaj, ne tiom ofte saltas, kiam iu plenkreskulo neatendite tuŝos ilin. Sed ili (same kiel iliaj panjoj) bezonas ĉiaman certigadon, ke ili estas sekuraj, akceptataj, komprenataj. Mia 6-jara lernanto daŭre panike timas aviadilon, eĉ se mi ne rimarkas ĝian aperon tre for de ni.

지금까지 저는 37년간 유아 아동들을 가르치며

직장생활을 해 왔지만, 난생처음 저는 그 귀염둥이 녀석들의 두 눈에 그만큼 깊이 슬픈 표정이 있음을 자주 느낍니다. 비록 그들의 입술은 웃음을 내보인 다 해도 말입니다. 그것은 정말 제 가슴을 아프게 합니다. 학교에 우리가 함께 지냄은, 어떤 의미에 서는, 그들에겐 전쟁이 발발하기 이전의 평화로운 삶으로 되돌아감이 됩니다; 그래서 그 아동들이 우리와 함께 있을 때 -자신이 직접 겪은 잔인한 그 전쟁의 순간을 조금은 잊을 수 있습니다. 폴란드 아동에게서 3일 정도이면 회복되는 질병도, 우크라이나 아동이 앓으면 14일이나 지나 회복되기도 합니다. -아마도 몸의 긴장 의식은 그런 방식으로 풀어지나 봅니다.

제가 덧붙여 말하고자 하는 것은 -젊은, 외로이 살아가는 엄마들은 방금 폴란드에서 일을 시작하지만, 그네들의 고용 조건은 대부분 썩 좋은 형편이 못됩니다. 그런 엄마들이 하는 일이란 폴란드인 거주지를 단순 청소하는 일이니. 그 청소 용역을 하는 동안에는 제 자식들과 함께 집에 머물 수 없음도 문제가 됩니다.

그 피난민 여성들은 자신에게 거주지를 무상 제공해 주는 폴란드 사람들에게 그렇게 오래 함께 사는 것을 민폐로 생각하고 있습니다. 하지만 그들은 자주 독립된 일거리를 구하기란 성공하지 못합니다.

폴란드 아동(학생)을 둔 부모들이 지금까지 우크라이나 아동들을 위한 식료품 비용, 외출 비용, 문화 행사 비용을 대신 지불해, 단체 생활을 충분히 누리게 돕습니다. 폴란드 여성들은 그 피난민 가족을 위해 의복도 가져다줍니다. 그사이 계절이 바뀌어, 정말 날씨가 변해 버렸고, 또 수많은 우크라이나 피난민 가족들은 달랑 여행용 가방만 들고 피난 왔기 때문입니다. 하지만 이런 상황이 얼마나 오래 더 지속될까요?

폴란드 물가도 깜짝 놀랄 정도로 올라, 지금까지 저축해 놓은 돈은 급속도로 줄어버렸습니다.

저는 우크라이나에서 온 피난민들에게 그들의 조국을 구하기 위해 우크라이나에 남은 그들의 아빠들에 대해서는 한번도 물어볼 수 없었습니다. (아마도 내 조국도 구하는 일이기도 하구요. 왜냐하면, 만일 그 아빠들이 그만큼 효과적으로 그 전쟁에서 러시아군대를 반격해 밀어내지 못했다면- 푸틴의 식탐은 다른 나라에도 미칠 정도로 커갈 지도 모르니까요.)

저희 도시로 피난 온 대부분의 우크라이나 가족은 폴란드 말을 이제는 제법 잘 하고 있습니다. 하지만 언제나 러시아어는 /크/게/ -그 우크라이나 피난민 아동들이 슬픔에 잠겨 있을 때 그 아동들을

진정시킬 목적으로만 주로 쓰이지만- 도움이 되기
도 합니다. 저는 늘 이런 입장으로 -러시아어는 아
무 죄가 없다고요.- 살아오고 있습니다.

Mi jam 37-an jaron laboras kun etaj
infanoj, sed la unuan fojon mi ofte rimarkas
tiom profunde tristajn okulojn de etuloj, eĉ
se iliaj lipoj ridetas. Tio ege dolorigas min.

Nia komuna ĉeestado en la edukejo estas
por ili iusence reveno al trankvila vivo de
antaŭmilita tempo; kiam ili ludas kun ni -
iom forgesas propran kruelan historion.

Malsanoj, kiuj ĉe polaj infanoj finiĝas
post 3 tagoj ĉe la ukrainidoj daŭras 2
semajnoj- ŝajne streĉo liberiĝas tiamaniere.
Mi aldonu, ke la junaj, solaj panjoj ĵus
komencis labori en Pollando, kondiĉoj de
dungado ofte ne estas tro konvenaj. Kelkaj
simple purigas loĝejojn de poloj, do resti
kun propra infano hejme fariĝas problemo.

La virinoj ne volas loĝi tiom longe ĉe
poloj, kiuj senpage donacis al ili loĝejojn,
sed ofte ne sukcesas ektrovi normalan
laboron, Gepatroj de polaj lernantoj ĝis nun

pagas nutradon, ekskursojn, kostojn de kulturaj arangôj por la ukrainidoj povu profunde ĝui vivon de la grupo. Ili portas vestaĵojn, ĉar ja vetero ŝanĝiĝas kaj la multaj ukrainaj familioj venis kun unusola valizo. Sed kiom longe tio daŭros? En Pollando kostoj de vivkondiĉoj terure kreskas kaj ŝparmono rapide malaperas.

Mi neniam demandas, kion travivis la familioj en Ukrainio, pri patroj, kiuj restis por savi ilian Patrujon (ŝajne ankaŭ la mian, ĉar se ili ne batalus tiom efike - apetito de Putin kreskus je aliaj landoj).

Tutaj ukrainaj familioj pli kaj pli bone parolas pole. Sed ĉiam rusa lingvo ege helpas, ĉefe por trankviligi ukrainidojn dum ilia tristeco. Mi ĉiam opiniis, ke rusa lingvo mem nenion kulpas.

한 가지 더 말하고 싶은 것이 있습니다: 제 반에 있는 한 명의 "우리" 우크라이나 아이는 선생님인 제게 이렇게 고백합니다. 자신의 아버지는 벨로로시 출신이고 나중에 그 아이는 슬프게도 몇 번인가 강조하기를, 아버지는 러시아 침공을 지지하지 않는, 평범한 좋은 아빠라는 것입니다.

우크라이나에는 -지난 날의 소비에트 연방(소
련)이라는 시대와 비슷하게도, -여러 민족이 섞여,
러시아 민족-우크라이나 민족으로 구성된 가족들
도 생겼습니다. 지금 그런 가정에서 자라는 아동들
은 뭘 느낄까요? 누구에게 의지해야 하나요? 저는
제　스스로　이레나　센들러37)(Irena　Sendler:

---

37) *역주: *역주: 이레나 센들러(Irena Sendler, 본명:
Irena Stanisława Sendler, 1910년 2월 15일 ~ 2008년
5월 12일)[1]는 독일이 점령한 바르샤바에서 제2차 세계
대전 중 폴란드 지하운동으로 복무한 폴란드의 사회 복
지사이자 간호사이다. 제2차 세계대전 중 독일이 점령한
바르샤바에서 1930년대에 센들러는 자유 폴란드 대학교
(Free Polish University)와 연계된 활동가들 중 한 명으
로 활동했다. 1935년부터 1943년 10월까지 바르샤바시
의 사회 복지 공중보건부에서 일했다. 센들러는 수십 명
의 다른 사람들과 함께 바르샤바 게토 밖으로 유태인 어
린이들을 밀반출한 다음, 폴란드 가족이나 고아원과 가
톨릭 수녀원 등 보호 시설에 위조 신분 증명서와 은신처
를 제공하여 어린이들을 대량학살에서 벗어날 수 있도록
했다. 전후에 센들러는 사회 활동을 계속했으나 정부일
또한 추구했다. 독일 점령군은 센들러가 폴란드 지하운
동에 연루되었다고 의심했고, 1943년 10월 게슈타포가
센들러를 구속했으나 그는 구출된 유태인 아이들의 이름
과 위치 목록을 숨겨서 이 정보가 게슈타포의 손에 넘어

1910~2008: 제 2차 세계 대전 동안 독일이 점령한 폴란드 바르샤바에서 엄청난 유대인 아동을 구했던 폴란드 여성)의 말씀을 기억하려고 애씁니다: „사람들을 그 자신의 인종이나 종교, 민족, 부유함으로 평가하지 말고, 그들의 인간성으로만 평가하라"고 한 말을요. 똑 같은 말을 에스페란토 창안자 자멘호프(L. L .Zamenhof: 1859-1917) 박사는 말하고 있습니다: „폴란드민족이 러시아 민족이나 우크라이나 민족이 아닌, 사람과 사람으로 만남이 이어지길 희망한다"고 한 말을요.(*)

Krome: Unu „nia" ukrainido konfesis al mi, ke ĝia patro estas beloruso, kaj poste ĝi

---

가는 것을 막았다. 그는 사형 선고를 받았지만 예정된 처형일에 겨우 탈출했다. 전후 공산주의 폴란드에서 Sendler는 사회 운동을 계속했다. 1965년 그녀는 이스라엘 국가에서 열방의 의인으로 인정받았다. 셴들러가 받은 많은 훈장 중에는 1946년 유대인을 구한 공로로 수여된 Gold Cross of Merit 와 전쟁 중 인도주의적 노력에 대해 말년에 수여받은 폴란드 최고의 영예인 White Eagle 훈장이 있다.(출처: https://ko.wikipedia.org/wiki/%EC%9D%B4%EB%A0%88%EB%82%98_%EC%84%BC%EB%93%A4%EB%9F%AC) malgaje kelkfoje substrekis, ke li ne apogas la rusan invadon, sed estas simple bona homo.

En Ukrainio- simile al tuta iama Sovetunio nacioj miksiĝis, kreiĝis familioj eĉ ruse-ukrainaj. Kion nun sentas la idoj? Kiun apogi? Mi mem ĉiam strebas memori vortojn de Irena Sendler (polino, kiu savis multegajn judajn infanojn dum la dua mondmilito): ne juĝu homojn pro ilia raso, religio, nacio, riĉeco, nur pro ilia homeco. Samon instruis nia Majstro: Renkontiĝu ne polo kun ruso aŭ ukrainano, sed homo kun homo.

프랑스에서 온 편지

Ukrainio : "Du militas, tria profitas"
우크라이나 : "둘이 싸우면, 제3자가 이익을 취한다."

　　　　　　　　　-작가 앙리 마송(Henri Masson)

러시아 블라디미르 푸틴 체제(정부)가 우크라이나를 침공한 전쟁은 다시 한번 우리에게 전쟁이란 현명(지혜)의 패배이요, 온 인류에 패배를 가져다 준다는 사실을 다시 한번 보여주고 확인해 주고 있습니다. 이 전쟁의 소용돌이 속에서는 러시아가 체홉, 레르몬코프38), 톨스토이, 투르게네프, 고골리39)... 가 살았던 나라라는 것은 인식할 수 없습니다.

러시아가 '죽음의 영혼'의 나라가 되었을까요?

이 전쟁은 1910년 프랑스 파리에서 발간된 에스페란토 창안자 자멘호프 박사의 『에스페란토 속

---

38) *역주:(1814-1840) 탁월한 사상가, 시인, 유명작가. 대표작 <우리 시대의 영웅>
39) *역주: 우크라이나 출신의 러시아 소설가

담집』책자의 한 속담 « 둘이 전쟁을 하면, 제3 자가 이익을 본다 »을 그림처럼 보여주고 있습니다. 1921년 노벨문학상 수상자 아나톨 프랑스 (Anatole France) 가 1922년에 쓴 글에서 말한 바를 다시 한번 입증시키고 있습니다 : "사람들은 조국을 위해 죽는다고 믿는다; 그러나 사람들은 기업가를 위해 죽는다." 이 말은 여전히 효력을 가지고 있습니다. 러시아와 우크라이나의 사례도 소수독재 정치가들과 이익에 골몰한 이들이 양측에서 기이한 영향력을 가지고 있습니다. 러시아는 중국과 함께 1990년 조지 부시 대통령(George H.W. Bush) 최초로 발언한 신세계질서의 수립에 주된 장애 국가들입니다. 그런 질서는 필시 강력한 미국 영향력, 최강국 아래 있음을 의미하는 것은 당연할 것입니다.

"Manifest destinity"
명백한 운명(팽창주의)[40]

---

40) *역주 : 명백한 운명(영어: Manifest Destiny, 팽창의 천명)이란, 제임스 매디슨이 미국 대통령으로 재임 당시 민주공화당, 특히 매파(주전파, Warhawks)에 의해 널리 퍼지게 되었다. 즉, 19세기 중반에서 후반의 미국 팽창기에 유행한 이론으로, 미합중국은 북미 전역을 정치·사회·경제적으로 지배하고 개발할 신의 명령을 받았다는 주장이다. 이 주장이 팽창주의와 영토 약탈을 합리화하였다. 출

'명백한 운명'이라는 표현은 1845년 미국 월간지 《"United States Magazine and Democratic Review"》 1845년 7-8월호에 이 월간지의 뉴욕 주필인 존 설리반(John O'Sullivan)이 처음 쓴 용어로, 미국이 텍사스 병합을 할 때, 팽창주의 압력의 강력해짐을 나타낸 용어입니다. 그는 설득 목적으로 핑계를 찾기를, 미국은 신의 계시를 받아 문명 위임을 받았다고 했습니다.

1885년, 『명백한 사명』이라는 제목으로, 미국 철학가이자 역사학자인 John Fiske가 저서를 발간했는데, 저자는 하나님(신)이 미국에게 이 세상을 문명사회를 만들라는 미션을 받았다는 사상을 지지했습니다! 그는 앵글로색슨 족을 자연의 산택의 산물로 인종 우위성을 믿고, 미국인과 영국인은 이미 전 세계의 3분의 을 이미 정복했음을 강조하면서, 그 발전을 자본주의와 민주주의의 형태 아래 진보를 앞당겼다고 강조했습니다. 진보가 정말일까요?

잊지 말아야 할 것은, 영국과 미국이 중국에 맞서 부끄럽고도 가증의 아편 전쟁이 1839년부터 1842년까지 또 1856년부터 1860년까지 일어났

처   :
https://ko.wikipedia.org/wiki/%EB%AA%85%EB%B0%
B1%ED%95%9C_%EC%9A%B4%EB%AA%85)

고, 두 번째 전쟁에서는 프랑스가 참전했습니다. 이에 대해 빅토르 위고는 여름 궁에서의 약탈과 화재 때문에 활발하게 저항했습니다 : "빅토르 위고와 여름 궁에서의 약탈. 버틀러 대위에게 보내는 편지"에서 미국의 좌우명은 "우리는 신을 믿습니다" 이지만, 그것의 진짜 신(하나님)은 금권정치이다. 미국 대통령 대부분은 신에 맹세코(신을 믿는다) 라는 말을 자주 씁니다. 1898년 윌리엄 멕킨리 대통령, 2003년의 조지 부시 대통령은 제각각 필리핀과 이라크에서 전쟁을 신의 영감 때문이라고 정당화 시킵니다...

유럽 이주자들이, 더 정확히는 침략자들이 1776년에 독립한 미국은 한번도 침략을 당하거나, 지배당한 경험이 없습니다. 2015년까지 239년간의 존재 동안, 미국은 222년간 전쟁을 했다고 글로벌 리서치는 언급하고 있습니다.

스메들리 버틀러는 미 해군 보병의 가장 큰 공훈 훈장을 받은 장군은, 마침내 확정적으로 1933년부터의 미국의 팽창주의를 여러 차례 연설에서 비난했습니다. 그 뒤 1935년에 『전쟁이 로켓트이다』라는 책을 발간했습니다.

1961년 1월 17일 위임장 수여식 끝의 연설에서, 아이젠하워 대통령은 지금 분명한 위협에 대해 경고를 했습니다 : « 우리 정치 기관에서, 우리는 염려해야만 합니다. 군산 복합체는 정당화할 수 없는 영향을 획득하지 말아야 함에 염려해야 합니다. 위험한 손에 의한 권력이 파괴적으로 집중하게 되는 위협은 존재하고, 앞으로도 지속될 것입니다.» 힘이란 실제로 «위험한 손»에 집중되었습니다.

부패되고 독재 정권에 대한 미국의 지원이 그 사실입니다 : 한국의 이승만 정권, 이란의 마호테드 레자 팔레비 정권, 인도네시아 수하르토 정권, 쿠바의 풀겐시오 바티스타 정권, 우간다의 이디아민 다다 정권, 자이레의 모투투 정권(미국 정보국(CIA)에 의한 파트리체 루뭄바 살해 이후), 칠레의 아우구스토 피노체트...'불평화를 퍼뜨리는 검은 존재들...'

'국수주의자들, 증오하는 적개심의 그런 대표자들, 그런 암흑의 귀신들, 불평화를 조장하는 검은 종자들'이라고 1907년 영국 런던의 옛 시청 건물인 위엄있는 길드홀 연설에서 말한 바 있습니다. 그 존재들이 여전히 지금도 양측에서, 우크라이나와 러시아에서, 다양한 비율을 가진 이 세상 어디에도 있습니다.

러시아에 대항하는 직접적인 전쟁을 피하려는 미국의 교활함은 러시아와 우크라이나 사이에 갈등의 조건들을 만드는 것으로 구성되어, 이는 나중에 우크라이나 정부를 지원하게 됩니다. 그 조건에 우호적 요소들이란 다음과 같습니다.

푸틴의 나치주의자들에 대한 깊은 원한,

소련체제의 멍에 아래 고통을 입은 국가들이 러시아에 대항하는 깊은 원한과 복수심,

아주 적극적이고 영향력 있는 나찌 성향의 소수민족이 우크라이나 내에 존재함.

미국의 정치 경제 문화적 모델을 강요하기 위한 미국이 자주 취하는 정책은 원한의, 적대적인 마음의 활용입니다. 예를 들어, 베트남 전쟁 동안 소수민족, 또는 이라크와 이란 사이의 갈등 동안 수니파와 시아파 사이의 활용. 또 나중에는

1979년 폴란드 출신의 미국 국무 안보조정자인 브레진스키는 파키스탄-아프가니스칸 국경에서 러시아군대를 추출하기 위해 탈리반 정권의 미국 지원을 천명하게 됩니다. 그렇게 해서, 나중에 미군이 제각각 이 나라를 점령할 수 있었습니다. 《브레진스키가 마야히텐에게 말하다 : « 당신의 경우는 옳고, 하나님은 당신편에 있습니다! »(..) 우리는 지금 아프가니스탄이 어떤 상황인지를 볼 수 있습니다.

종교적 함의

성서에 대한 종교적 참조와 신(하나님)의 이름의 부정직하고 범죄적 착취는 미국 정치에서는 간

혹 있는 일이 아닌 뿐더러, 통신문에서 볼 수 있는 것은 푸틴이 한 손에는 양초를 들고, 다른 한 손으로 성호를 그리는 러시아 정교 의식을 볼 수 있습니다. 모스크바의 그리스정교는 푸틴의 요구에 굴복했습니다. 다른 측면에서는 러시아에서의 그 염원의 영향력을 자각하게 합니다. 2018년 우크라이나 그리스정교 교회는 러시아(모스크바)의 그리스정교와 결별(분리)되었고, 그렇게 해서, 모스크바 정교는 전쟁을 완전히 지지하게 되었습니다.

조지 소로스의 역할

아주 유능한, 에스페란티스토의 아들인 조지 소로스는 주식 투자로 백만장자가 되고서도 우크라이나를 재정적으로 돕고 싶다는 염원을 표시했습니다. 그는 2015년부터 이미 우크라이나를 지지함이 《블라디미르 푸친을 약화시키는》 일에 공헌하는 것이라고 주장해 왔습니다.(2015년 3월 30일자 《라트리분》 지). 푸틴은 분명히 그 말 속에서 대단한 위협을 냄새 맡았습니다. 소로스는 반러시아 감정에 재정지원을 하고, 그렇게 해서 갈등의 기후를 창설하는 데 이바지했습니다.

우크라이나 중립주의나 비동맹의 형태를 거부했다는 그 사실도, 또 우크라이나가 유럽연합(EU)과 북대서양조약기구(NATO)에 가입하는 것을 호의적으로 희망함에 따라 푸틴의 분노를 극대화시

켰습니다. 미국으로서는 그 상황은 이미 성숙되었습니다. : »엉클 샘이 우크라이나에서의 전쟁의 대단한 승리자«.

그런 갈등 속에서 한편에는 천사들이 없고, 다른 편에는 악마들이 있게 되었습니다. 이 때문에 책임감이 양편에 존재하고, 마찬가지로 선전전과 거짓말이 횡행했습니다: 『정글북』의 영국 작가 루디아르드 키플링(Rudyard Kipling)은 바로 생각하기를, «이 전쟁의 첫 희생자는 진실이다»라고 생각하게 되었습니다.

미국 국무장관이자 미국 CIA의 전 군사 장교이자 국장인 마이크 폼페이오는 설명하며 보여주기를, 미국에서의 정의가 얼마나 경멸적인가를 보여주고 있습니다:

«내가 웨스트포인트 사관생도 시절에, 사관생도의 목표는 무엇인가? 여러분은 거짓말하지 말라, 여러분은 속이지 말라, 여러분은 훔치지 말라, 또한 여러분은 다른 사람들이 그렇게 행동하는 것도 허락하지 말라였습니다. 나는 CIA 국장이었고, 우리는 거짓말했고, 속였고, 도둑질했습니다. 마치 우리가 온 훈련 코스를 그것을 하는 방법을 배우는 코스인 것 처럼요.(비디오 : « CIA에 대한 마이크 폼페이오: 우리는 거짓말했고, 우리는 속였고, 우리는 훔쳤다 »)

전쟁에서 그러한 것이 사람들의 상황입니다.

그 다른 나라 사람들을 존경하고, 사랑하고, 서로 형제처럼 지내기 위한 이유들이 많이 가진 다른 나라 사람들을 증오할 개인적 이유는 없는 사람들의 상황이 그렇습니다.

만일 얼마나 많은 선은 이 전쟁의 온전한 비용으로 실현할 수 있을까를 상상해 보는 것은 누군가가. 기쁨의 눈물로, 갈등의 눈물이 아니라는 것을 상상할 수있을까요?

1915년 에스페란토 창안자 자멘호프 박사가 제1차 세계 대전 동안 표현한 생각들과, 에스페란토 역사에서 가장 탁월한 인물 중 한 분인 스위스인 헥토르 호들러의 사상이 여전히 효과적임을 보세요.

『바벨탑에 도전한 사나이』의 공저자
프랑스에서 앙리 마송.

Ukrainio : "Du militas, tria profitas"

La milito de la reĝimo de Vladimir Putin kontraŭ Ukrainio ilustras kaj konfirmas plian fojon la fakton ke milito estas malvenko de la saĝeco, malvenko por la tuta homaro. Ne rekonebla estas en tio la lando de Ĉeĥov, Lermontov, Tolstoj, Turgenjev, Gogol (ukraindevena)···

Ĉu Rusio fariĝis lando de "Mortaj animoj" ?

Tiu milito estas ankaŭ ilustraĵo de la proverbo "Du militas, tria profitas"el la "Proverbaro Esperanta" de D-ro Zamenhof publikigita en Parizo en 1910.

Pravis ankaŭ la franca verkisto Anatole France, Nobelpremiito pri literaturo 1921, kiam en 1922 li skribis : "Oni kredas morti por la patrio; oni mortas por industriistoj." Tio plue validas. En la kazo de Rusio kaj Ukrainio, oligarkoj kaj profitaviduloj havas fortan influon ambaŭflanke.

Rusio estas kun Ĉinio la ĉefaj obstakloj al starigo de la Nova Monda Ordo pri kiu unuafoje esprimiĝis George H.W. Bush en 1990. Tia ordo estus evidente sub forta usona influo, eĉ superrego.

"Manifest destinity"

La esprimo "Manifest destinity" (evidenta destino) unuafoje aperis en numero de julio-aŭgusto 1845 de la monata revuo "United States Magazine and Democratic

Review" sub la plumo de ties novjorka ĉefredaktoro John O'Sullivan, kiam plifortiĝis ekspansiisma premo por la aneksado de Teksaso. Li pravigocele pretendis, ke Usono ricevis de dia providenco civilizan mandaton.

En 1885, sub la titolo "Manifest destiny", la filozofo kaj historiisto pri Usono John Fiske aperigis libron en kiu li subtenis la ideon, ke Dio taskis Usonon je misio civilizi la mondon ! Li kredis je la rasa supereco anglosaksa kiel produkto de natura selektado, substrekante ke usonanoj kaj angloj jam konkeris trionon el la terglobo kaj antaŭenigis la progreson sub formo de kapitalismo kaj demokratio. Ĉu progreson ?

Ne forgesindas, ke la du hontindaj kaj abomenindaj opiaj militoj de Britio kaj Usono kontraŭ Ĉinio okazis de 1839 ĝis 1842 kaj de 1856 ĝis1860, la dua kun partopreno de Francio pri kiu vigle protestis Victor Hugo pro la prirabo kaj incendio de la Somerpalaco: "Viktoro Hugo kaj la prirabo de la Somera Palaco. Letero al kapitano Butler".

La devizo de Usono estas "In God We Trust"" (Je Dio ni kredas) sed ĝia vera dio estas Mamono. Plejparto el la usonaj prezidentoj referencis je Dio. La prezidentoj William McKinley en 1898 kaj George Walker Bush en 2003 pravigis militojn respektive en Filipinoj kaj Irako pro dia inspiro⋯

Fondita en 1776 fare de eŭropaj enmigrintoj, pli ĝuste invadintoj, Usono neniam spertis invadon kaj okupacion. Dum 239-jara ekzistado ĝis 2015, ĝi militis dum 222 jaroj (GlobalResearch).

Smedley Butler, la plej ordenita generalo de la usona mararmea infanterio, firme kondamnis la usonan ekspansiismon ekde 1933 en paroladoj kaj en 1935 per libreto sub la titolo "War is a Racket".

La 17an januaro 1961, en parolado de fino de mandato, la prezidento Eisenhower avertis pri minaco, kiu estas nun evidenta : "En niaj politikaj organoj, ni devas zorgi, ke la milita-industria komplekso ne akiru, intence aŭ ne, nepravigeblan influon. La risko, ke katastrofe koncentriĝu potenco en danĝeraj manoj, ekzistas kaj plu daŭros." La potenco efektive koncentriĝis en "danĝeraj manoj".

La subteno de Usono al koruptitaj kaj al diktaturaj reĝimoj estas fakto : Syngman Rhee en Suda Koreio, la ŝaho Mohamed Reza Pahlavi en Irano, Suharto en Indonezio, Fulgencio Batista en Kubo, Idi Amine Dada en Ugando, Mobutu en Zairio (post murdo de Patrice Lumumba fare de CIA), Augusto Pinochet en Ĉilio···

"nigraj semantoj de malpaco..."

La "ŝovinistoj, tiuj reprezentantoj de abomeninda malamo, tiuj mallumaj demonoj, nigraj semantoj de malpaco" pri kiuj parolis D-ro Zamenhof en 1907 en la prestiĝa Guildhall, la malnova urbodomo de Londono, ekzistas ankoraŭ nun ambaŭflanke, en Ukraino kaj Rusio, ĉie en la mondo kun variaj proporcioj.

La ruzo de Usono por eviti rektan militon kontraŭ Rusio konsistis krei la kondiĉojn de konflikto inter Rusio kaj Ukrainio por poste subteni la registaron de Ukrainio. Favoraj kondiĉoj ekzistis por tio :

1. profunda rankoro de Putin kontraŭ nazioj,

2. profunda rankoro kaj venĝemo kontraŭ Rusio en la landoj kiuj suferis sub la sovetia jugo,

3. ekzisto en Ukrainio de tre aktiva kaj influa naziema minoritato.

Ofta taktiko de Usono por trudi sian politikan, ekonomian kaj kulturan modelon konsistis ĝuste en ekspluadado de rankoroj, de antagonismoj, ekzemple de la hmonga etno dum la vjetnama milito, aŭ

inter sunaistoj kaj ŝijaistoj dum la konflikto inter Irako kaj Irano kaj poste.

En 1979, la poldevena usona ŝtata konsilanto por sekureco Zbigniew Brzezinski proklamis ĉe la pakistana-afgana landlimo usonan subtenon al la talibanoj por forpeli la rusan armeon, tiel ke poste la usona armeo povis siavice okupacii la landon : "Zbigniew Brzezinski to the Mujahideen: "Your cause is right and God is on your side! " (Z.B al la Muĝahidinoj: "Via afero estas ĝusta kaj Dio estas ĉe via flanko!"). Ni vidas nun en kia situacion estas nun Afganio.

Religia implikiĝo

Religiaj referencoj pri la Biblio kaj malhonesta, krima ekspluatado de la nomo Dio ne maloftas en la usona politiko, sed videbla en reporteraĵo estis Putin faranta krucosignon per mano kun kandelo en la alia mano dum ortodoksa ceremonio. La moskva ortodoksa eklezio subtemiĝis al la volo de Putin, kiu aliflanke konscias pri ĝia influo en Rusio. En 2018 okazis disiĝo inter la ukrainia ortodoksa eklezio disde la rusa, moskva, tiel ke la moskva plene subtenas la militon.

La rolo de George Soros

Kvankam filo de tre eminenta esperantisto, George Soros, kiu fariĝis miliardulo per spekulado, esprimis volon finance helpi Ukrainion. Li opiniis jam de 2015 ke subteno al Ukrainio kontribuos "al malfortigo de Vladimir Putin." ("La Tribune", 30an de marto 2015). Putin evidente flaris en tio grandan minacon. Soros financis kontraŭrusian senton kaj tiel kontribuis al la kreo de konflikta klimato.

Ankaŭ la fakto ke Ukrainio rifuzis

neŭtralecon aŭ formon de nealianciteco, kaj esprimiĝis favore al aliĝo al Eŭropa Unio kaj ĉefe al NATO kontribuis al furiozigo de Putin. Por Usono, la situacio tiam maturiĝis : "Oncle Sam, grand gagnant de la guerre en Ukraine" (Onklo Sam, granda gajnanto de la milito en Ukrainio).

En tiu konflikto, ne estas anĝeloj unuflanke kaj demonoj ĉe la alia. Respondeco ekzistas ambaŭflanke, same pri propagando kaj mensogoj : la brita verkisto Rudyard Kipling ĝuste pensis ke "La unua viktimo de la milito estas la vero."

Ŝtatsekretario de Usono kaj eksa armea oficiro kaj direktoro de CIA, Mike Pompeo klare montris kun ridaĉo kiom malestimata estas honesteco en Usono :

"Kiam mi estis kadeto ĉe West Point, kio estis la moto de la kadeto? Vi ne mensogos, vi ne trompos, vi ne ŝtelos, kaj vi ne toleros ke aliaj faru ĝin. Mi estis direktoro de la CIA kaj ni mensogis, trompis, ŝtelis. Estis kvazaŭ ni havus tutajn trejnajn kursojn por lerni kiel fari tion" (Video : "Mike Pompeo About CIA : We lied, We cheated, We stole"

Tia estas, en milito, la situacio de homoj, kiuj ne havas personajn kialojn por malami alilandajn homojn, kiuj eĉ eble havas kialojn por estimi kaj eĉ ami ilin, por interfratiĝi.

Ĉu iu kapablas imagi, kiom da bono estus efektivigebla per la entuta kosto de tiu milito, kun larmoj de ĝojo kaj ne de aflikto ?

Validas ankoraŭ nun pensoj esprimitaj dum la unua mondmilito, en 1915, de D-ro Zamenhof kaj de la sviso Hector Hodler, unu el la plej eminentaj figuroj el la historio de Esperanto.

Henri Massson, Francio

Kunaŭtoro de "La homo kiu defiis Babelon"

"우리는 잊지 말아야 하는 의무감이 있습니다. 우리의 동정 사이에, 우리는 우리 에스페란토계가 짊어질 의무가 있습니다.... 어떤 국민도 문명이나 문화, 또는 인간성을 독점할 수 없다는 믿는 의무 감....어떤 국민도 전적으로 야만이나 속임이나 멍청함을 지닐 수 없다는 믿는 의무감... 국민 대중의 영향의 외중에서도 설득력을 지키는 의무감... 이 연설은 지금 대포를 향하지만, 그 대포의 사격은 영원히는 지속되지 않습니다. 수십 만의 사람들이 전쟁으로 쓰러져, 무덤에 누울 것이고, 전쟁에서 승리한 측이나 패배한 측이 폐허로 변함은 우리 문명의 도덕적 발전을 알리기보다는 기술의 발전만 알려 줄 것입니다. 그때 사람들은 뭔가 해결책에

"Ni havas la devon ne forgesi... Flanke de niaj simpatioj, ni havas devojn, kiujn al ni trudas nia esperantisteco... devo kredi, ke neniu popolo havas la monopolon de la civilizeco, de la kulturo aŭ de la humaneco... Devo kredi, ke neniu popolo entute havas la monopolon de la barbareco, perfideco aŭ stulteco... Devo konservi prudenton eĉ meze de la premigaj influoj de la popolamasoj... La parolo estas nun al la kanono, sed ne eterne daŭros ĝia blekado. Kiam centmiloj da homoj kuŝos en la bataltomboj kaj la ruinoj ĉe la venkintoj kaj venkitoj atestos pri la teknikaj pli ol pri la moralaj progresoj de nia civilizeco, tiam oni alvenos al iu solvo, kaj tiam, malgraŭ ĉio, la internaciaj rilatoj denove ligiĝos, ĉar super la nacioj estas tamen io... Se sur la nunaj ruinoj ni volas konstrui novan domon, oni bezonos tiujn laboristojn, kiujn ne timigos la malfacilaĵoj de la rekonstruo. Ni esperantistoj, estu la embrio de tiuj elitoj. Por inde plenumi nian taskon, ni konservu nian idealon kaj ne lasu nin subpremi de la malespero aŭ de la bedaŭro."
Hector Hodler : "Super", eltiraĵo el "Esperanto" de la 5a de januaro 1915.

도달할 것이고, 그리고 그때, 모든 어려움에도 불구하고, 국제 관계는 다시 연결될 것입니다. 왜냐하면, 민족들 위에는 뭔가가 있기 때문입니다....만일 오늘날의 폐허 위에서 우리가 새로운 집을 지으려면, 재건의 어려움을 두려워하지 않는 그런 노동자들을 필요로 할 것입니다. 우리 에스페란토 사용

자들은 그런 엘리트들의 싹이 되어야 합니다. 우리의 임무를 정당성있게 다하려면, 우리의 이상을 널리 알리고, 우리를 절망이나 애석함의 억눌리지 않도록 해야 합니다.

  -헥토르 호들러(Hector Hodler)[41], 1915년 1월 5일 〈에스페란토(Espranto)〉 지에서 뽑음.

  "존경하는 외교관 여러분! 인류를 가장 야만적인 동물보다 더 낮은 위치로 서게 만들고, 모든 것을 앗아간 이 공포의 전쟁이 끝난 뒤, 유럽은 외교관 여러분에게 평화를 고대합니다. 유럽은 일시적인 상호 평화를 고대하는 것이 아니라, 문명화된 인류에 꼭 맞는, 유일하고도 영원히 유지되는 평화를 고대합니다. 하지만, 기억하고 기억하고 또 기억해야 할 것은 그러한 평화에 도달하는 유일한 방법은 -단번에 전쟁의 주요 원인인, 가장 고전적인 문명 이전의 시대의 야만적 잔재물인, 한 민족이 다른 민족을 지배하겠다는 생각을 단번에 제거해 버리는 것입니다."

  -자멘호프 박사(1859~1917), "제1차 세계대전 뒤- 외교관에게 보내는 호소문"(1915년) 중에서.

---

41) 헥토르 호들러는 세계에스페란토협회 창설자.

*기고자 프로필

앙리 마송(Henri MASSON (필명 Henriko Masono) (1943년 2월5일생 ~, 79세) Moutiers-les-Mauxfaits(문체-레-모파: 서부 프랑스)에서 출생함. 1970년 4월 19일에 에스페란

"Sinjoroj diplomatoj ! Post la terura eksterma milito, kiu starigis la homaron pli malalten ol la plej sovaĝaj bestoj, Eŭropo atendas de vi pacon. Ĝi atendas ne kelktempan interpaciĝon, sed pacon konstantan, kiu sola konvenas al civilizita homa raso. Sed memoru, memoru, memoru, ke la sola rimedo por atingi tian pacon, estas : forigi unu fojon por ĉiam la ĉefan kaŭzon de la militoj, la barbaran restajon el la plej antikva antaŭcivilizita tempo, la regadon de unuj gentoj super aliaj gentoj."

D-ro Zamenhof (1859-1917)

"Post la Granda Milito — Alvoko al la diplomatoj". 1915 (eltirajo)

토를 학습하기 시작함. 1962년 알제리에서 3년 군 복무 후 '프랑스 국철'에 근무하였다가. 콘테이너 화물 운송회사에서 일한 뒤, 은퇴하고 에스페란토 운동에 열성적임.

2008년 1월까지 SAT-Amikaro사무총장 역임, SAT 지도위원 및 기관지 〈La Parizano〉 편집장 역임, departementa asocio Esperanto-Vendée 단체 회장 및 기관지 〈La Parizano〉 편집장 역임, 에스페란토 정보 분야에 아주 적극적인 활동가, 특히 프랑스어로도. 1995

년 〈바벨탑에 도전한 사나이〉 불어로 발간, 나중에
에스페란토어(2001), 한국어(2005년), 이탈리아
어, 리투아니어, 체코어로 출간됨.(출처:
https://eo.wikipedia.org/wiki/Henri_Masso
n)

Pri la poeto 시인 소개
– Petro Palivoda

Petro PALIVODA (naskiĝis en 1959) estas ukraina kaj Esperanta poeto kaj tradukisto, loĝas apud Kijivo, ĉefurbo de Ukrainio, liaj verkoj en la ukraina, la rusa, la germana lingvoj kaj originale en Esperanto kaj ankaŭ tradukoj aperis en pluraj ĵurnaloj, revuoj, almanakoj, antologioj en Ukrainio kai en multaj aliaj landoj.

Li estas esperantisto ekde 1976.

Li tradukis poezion de multaj ukrainaj poetoj kaj ankaŭ popolajn kantojn (el la ukraina lingvo al Esperanto); poemojn de Bill Auld, Albert Goodheir, Baldur Ragnarsson, Mauro Nervi, Ludoviko Zamenhof, Hilda Dresen, Victor Sadler, Vasil Eroŝenko, Aleksandr Logvin, Eugeniusz Matkowski, Aivar Liepins, Julia Sigmond, Ĵomart Amzejev, Julio Baghy (el Esperanto al la ukraina lingvo); prozaĵojn de Kalle Kniivilä (el Esperanto al la ukraina kaj la rusa lingvoj); Ulrich Becker, Guido

Hernandez Marin (el Esperanto al la ukraina lingvo); Ĥristina Kozlovska, Bohdana Jehorova (el la ukraina lingvo al Esperanto).

Petro Palivoda estas laŭreato de la internacia Esperanta literatura konkurso "Liro-82" (3-a premio, poezio); de la internacia Esperanta literatura konkurso EKRA-2006, Razgrad, Bulgario (1-a premio, poezio); de Ukrainia ukrainlingva literatura konkurso "Rukomeslo-2006", Kijivo: poezio - 3-a premio; traduko - 2-a premio (rakonto de Ulrich Becker el Esperanto al la ukraina lingvo); de la Tutukrainia festifalo de ukraina moderna estrada kanto "Pisennij vernisaĵ-2006" kiel aŭtoro de la teksto de laŭreata kanto; gajninto de la Tutukrainia literatur-muzika konkurso "Inspiro" en la branĉoj "Originala poezio" kaj "Tradukita poezio" (Kolomeo, 2015); gajninto de la internacia poezia konkurso "Una ballata per l'Esperanto" (Mesino, Italio, 2019); laŭreato de la internacia poezia konkurso "Poezio el ĉiuj ĉieloj" (Mesino, Italio, 2020); laŭreato de la internacia tradukkonkurso (poezio) "Lucija Borčić", 2020, Kroatio (3-a premio);

gajninto de la internacia muzikkonkurso "Ĝanfranko" (Italio, 2021, la unua kaj la dua premioj); gajninto (kunaŭtorece) de la Tutukrainia literatura konkurso "Mein Erinnerungsort" ("Loko de mia memoro") de la germana-ukraina kultura kaj eduka centro "Nürnberger Haus" en 2021 (speciala premio).

Liaj verkaĵoj estas tradukitaj al la germana, la kroata, la itala, la korea kaj la franca lingvoj.

Petro Palivoda estas kantverkisto. Liaj Esperantaj poemoj estas muzikigitaj fare de multaj ukrainaj kaj eksterlandaj komponistoj: Jurij Krombet (Ukrainio), JoMo (Jean-Marc Leclercq) (Francio), Antero Avila (Azoroj, Portugalio), Feri Floro (Germanio), Liven Dek (Hispanio), MoKo (Christian Departe) (Francio). Liaj Esperantaj kantoj estas plenumataj fare de: Jurij Krombet (Ukrainio), Ĵomart kaj Nataŝa (Svedio), JoMo (Francio), Alta Tajdo (Azoroj, Portugalio), Grinoalda kaj Maria Avila (Azoroj, Portugalio), Feri Floro (Germanio), Amira Chun (Koreio), MoKo (Francio).

페트로 팔리보다(Petro Palivoda: 1959~)

우크라이나 시인이자 역자 페트로 팔리보다 씨는 에스페란토 시인이기도 합니다. 영어, 독일어, 에스페란토 번역가입다. 중등학교에서 영어 교사로 봉직하고 퇴임하였습니다. 키이우(키예프)에 살고 있습니다. 그의 작품은 우크라이나, 러시아, 독일어로 발표되고, 에스페란토 원작도 있습니다.

그의 번역 작품은 우크라이나, 러시아, 리투아니아, 체코, 슬로바키아, 스위스, 루마니아, 미국, 오스트레일리아, 중국, 코스타리카, 폴란드, 캐나다, 터키, 크로아티아, 한국, 헝가리의 잡지, 정기 간행물, 문학 잡지, 안톨로지 등에 발표되었습니다.

그는 1976년 에스페란토에 입문했습니다.

그는 우크라이나의 여러 시인의 작품을 에스페란토로 옮겼으며, 여러 나라의 에스페란토 시 작품을 우크라이나어로 옮겼습니다. 스페인어, 독일어 시인들의 작품도 우크라이나어로 옮겼습니다. 우크라이나 시인들의 작품이나 민속 노래를 우크라이나어에서 에스페란토로 번역했습니다.

율리오 바기, 바실리이 에로센코를 비롯한 수많은 에스페란토 작가의 작품을 우크라이나어로 번역했습니다. 세계 여러나라의 작가들 -Julián Marchena(스페인어에서 우크라이나어로), Martin Kirchhof(독일어에서 우크라이나어로), Tetjana Ĉernecka(러시아어에서 우크라이나어로), Kalle Kniivilä의 작품(에스페란토에서 우크라이나어/러시아어로), Ulrich Becker, Guido Hernandez Marin (에스페란토에서 우크라이나어로) Anton Meiser, Manfred Welzel (독일어에서 우크라이나어로), Ĥristina Kozlovska (우크라이나어에서 에스페란토/독일어로)- 의 작품을 번역했습니다.

2006년 러시아에서 열린 국제 에스페란토 문학(Liro-82)의 시 부문에서 3위 입상.

2006년 불가리아에서 열린 국제에스페란토 문학의 시 부문에서 1위 입상.

2006년 키에프에서 열린 우크라이나어 문학 콩쿠르에서 3위 입상.

2015년 "원작시"와 "번역시" 부문 우승,

2019년 에스페란토 국제 시부문 콩쿠르에서

우승.

2006년 현대 가요제에서 작사가상 수상,

2015년 우크라이나 전국 문학-음악 콩쿠르에서 원작시와 번역시 부문에서 입상.

2019년 이탈리아 국제 시 콩쿠르에서 입상함

2004-2012년 그는 국제 문학 콩쿠르 "Liro"의 심사 위원 역임.

시인의 작품은 독일어, 크로아티아어, 이탈리아어, 한국어, 프랑스어로 번역 소개되었습니다.

페트로 팔리보다 시인은 작사가이기도 합니다. 수많은 우크라이나 작곡가와 외국 여러 작곡가들과 음악협력도 하고 있습니다.

Jurij Krombet (우크라이나), JoMo (Jean-Marc Leclercq) (프랑스), Antero Avila (Azoroj, 포르투칼), Feri Floro (독일), Liven Dek (스페인), MoKo (Christian Departe) (프랑스).

작곡가의 에스페란토 노래는 이와 같은 가수들이 노래로 공연해 오고 있습니다:

Jurij Krombet (우크라이나), Ĵomart kaj Nataŝa (스웨덴), JoMo (프랑스), Alta Tajdo

(Azoroj, 포르투칼), Grinoalda kaj Maria Avila (Azoroj, 포르투칼, Feri Floro (Germanio), 전경옥(한국), MoKo (프랑스).

Postparolo de la poeto

Karaj koreaj legantoj!

Mi neniam povis eĉ imagi, ke mia libro de poemoj estos eldonita en Koreio en via gepatra lingvo. Mi devas konfesi ke mi ne scias multon pri via lando. Mi scias, ke ĝi estas rapide evoluanta industria lando, ke ĝi estas sur la avanaj lokoj en multaj industrioj, ke ĝi estas lando kun riĉega historio kaj kulturo.

Mi estas feliĉa havi bonegan amikon en Koreio — JANG Jeong Ryeol(Ombro), la redaktoro de la Esperanto-revuo TERanidO, tradukanto kiu konatigis koreojn kun multaj verkoj de ukrainaj poetoj kaj prozistoj koreiginte ilin. Koran dankon al li pro lia nobla laboro!

Koreoj estas afablaj, kompatemaj kaj laboremaj homoj. Ili bone scias kio estas milito, kio estas partigita patrujo. Tial ili bone komprenas ukrainojn, kiuj nun heroe batalas por la sendependeco de sia patrujo, kiuj sindoneme rezistas la kovardan agreson de sia insida najbaro – la Rusa Federacio. Ni dankas vin pro via subteno. Ni ĉiuj kredas, ke bono venkos.

Ukrainio por via Lando de Matena Freŝeco ankoraŭ restas mistera kaj malproksima lando. Sed mi esperas, ke ankaŭ dank' al ĉi tiu libro, ĝi fariĝos iom pli proksima al vi.

Petro Palivoda, ukraina kaj esperanta poeto kaj tradukisto

시인의 후기

시를 사랑하는 한국 독자 여러분!

저는 제가 쓴 시집이 한국에서 한국어로 번역 소개되는 것은 전혀 상상조차 해 보지 못했습니다.

고백하건대, 저는 한국에 대해 아는 것이 많지 않습니다. 저는 한국이 고도 성장 산업국가이며, 수많은 산업에서 세계 최첨단을 가고, 유구한 역사와 풍부한 문화를 누리고 있다고 알고 있습니다.

다행스럽게도 제게는 아주 훌륭한 친구 한 사람을 알고 지내고 있습니다. 그이는 번역가이자 한국에스페란토협회 부산지부 〈TERanidO〉 편집장인 장정렬(Ombro)입니다.

그이는 크리스티나 코즈로브스카(Khrystyna Kozlovska)를 비롯해 우크라이나 시인과 소설가 작품을 에스페란토를 통해 한국어로 번역, 소개했습니다.

제가 아는 한국인들은 친절하고 이해심이 많고 열심히 일하는 분들로 알고 있습니다.

여러분은 전쟁이 뭔지를 알고 있고, 그 전쟁으

로인해 국토가 양분된 것도 잘 알고 있습니다.

그 때문에 한국인들은 우리 우크라이나가 이웃 나라인 러시아 연방의 교활하고도 무지막지한 침략에 대항하여 헌신적으로 막아내며, 오늘 이 시간에도 조국 우크라이나 독립을 지키기 위해 영웅적으로 싸우고 있음도 잘 알고 있고, 우리 우크라이나의 전황을 잘 이해하고 있습니다.

우리는 한국인 여러분이 우리 우크라이나를 지지하고 성원해 주셔서 감사드립니다. 우리 모두 결국에 선의(善意)가 이긴다는 것을 믿고 있습니다.

신선한 아침의 나라인 한국이 우크라이나에겐 여전히 신비하고 먼 나라처럼 남아 있습니다. 하지만, 제 시집이 한국 독자 여러분께 한 걸음 다가갈 수 있기를 희망합니다.

페트로 팔리보다(Petro Palivoda),
우크라이나 시인, 에스페란토 시인, 번역가

Postparolo de la tradukinto
역자 후기

지난해 3월 코즈로브스카 작가의 단편 작품집 『반려 고양이 플로로(Kato Floro)』와 『마술사 (Magiisto)』를 번역 출간을 준비할 즈음, 저는 부산일보로부터 우크라이나 전쟁 기고문을 현지 우크라이나에서 받을 수 있는지 요청을 받았습니다.

부산일보는 에스페란토 관련 기사를 국내에서는 비교적 많이 취급해온 언론사입니다. 그 기회로 이렇게 모은 귀중한 기고문들이 -우크라이나 시인 페트로 팔리보다, 폴란드 초등학교 유치부 교사 그라진스카, 프랑스 작가 앙리 마송 씨가 보내 주신 글- 여기 이 페트로 팔리보다 시인의 시집 〈시계추 Pendolo〉 에 특별기고 형식의 〈제2부〉를 만들게 되었습니다.

저를 비롯한 평화 애호가 독자 여러분은 러시아 침공으로 빚어진 우크라이나 전쟁이 어서 평화의 국면으로 전환되기를 진심으로 바라고 있을 겁니다.

그런 일이 진행되던 중, 5월 어느 날 부산일보

이현정 기자님이 제게 에스페란토가 평화의 언어라고 하는데, 어떻게 해서 그렇게 되었는지를 물어왔습니다. 그래서 5월 11일(수) 자 부산일보 인터뷰 기사 〈언어와 정신 공유... 우크라이나 편지 제안 수락한 이유죠〉가 나오게 되었습니다.

그 인터뷰 관련 몇 가지 질문이 있었기에 여기에 소개합니다. 그래서 저는 '에스페란토를 왜 평화의 언어라고 하나?' 라는 질문에 이렇게 답했습니다.

"국제어 사상을 이야기할 때, 나라들의 언어가 달라, 이것이 이웃 나라와 소통의 어려움, 오해와 몰이해를 가져오기에 철학자 라이프니츠(1646~1716) 이후에 공통어 사상이 나옵니다. 특히 프랑스 혁명(1787~1799) 이후 자유 평등 박애의 사상이 유럽에 퍼지고, 19세기 들어서 여러 국제어 시안이 나오는데, 음표를 통한 의사소통, 숫자를 비롯한 기호를 이용한 의사소통이 시도되다가, 19세기 중반에는 볼라퓌크(volapük), 에스페란토(Eperanto) 등의 알파벳 문자를 통한 국제어 시안이 나옵니다. 그러한 국제어 중 하나인 에스페란토는 폴란드 태생의 안과 의사 자멘호프(L.L. Zamenhof:1859~1917)가 폴란드 바르샤바에서 『에스페란토 박사가 제안하는 국제어』를 발간해 서점가에 배포하면서, 독자들을 찾게 되고, 그 애

독자들이 그 〈국제어〉를 배우게 되고, 단체 활동이 생겨나고, 국가 단체(협회)가 만들어지고, 세계에 스페란토협회가 창설됩니다. 에스페란토로 이웃 나라와 소통하며 국제 평화를 추구하니, 에스페란토를 배운 이는 국제인이라 할 수 있는데, 이 언어는 지구인의 평화를 위함이라는 목표를 지니고 있습니다. 그렇게 지구인 중 한 사람의 아이디어가 국제적으로 인정받고, 이를 배우고 익히는 과정을 거치면서, 문학과 어학이 발전하게 됩니다.

에스페란토 창안될 당시 폴란드는 러시아의 지배하에서 자신의 국어를 사용하지 못하고, 지배국 언어를 공용어로 사용하도록 강제된 상황에서, 새 언어를 제안함은 혁신적 발상이라 할 수 있습니다."

또 흥미로운 질문이 있었습니다. -한국에스페란토협회 부산지부 회보 '테라니도(TERanidO)'에 대해 좀 더 소개해 달라고 했습니다. 이 질문에 저는 지난날 제가 에스페란토 학습을 한 순간부터 오늘날 에스페란토 번역 일을 하는 순간까지가 한 편의 파노라마처럼 제 눈앞에 펼쳐졌습니다. 저는 그 질문에 이렇게 답했습니다:

"부산에는 1980년대 초 에스페란토를 배운 청년들이 중심이 되어 한국에스페란토협회 부산지부를 결성하게 됩니다. 당시 대학생, 교사들이 중심이 되어 다양한 에스페란토 잡지들이 발간되었습니다. 1981년 우리 지부에서는 〈TERanO〉, 〈TERanidO〉라는 정기간행물을 만들었습니다. 〈TERanidO〉는 4페이지로 시작해, 나중에는 8페이지로 발간했습니다. 처음에는 격주간의 회보를 만들기 시작하여, 월간으로 바뀌었습니다. 당시는 수백 부를 발간해 전국으로 배포하기도 했고, 1989년 9월에 『TERanidO 제100호 기념호』를 책자로 만들었습니다. 그러다가 1993년경 132회로 중단되고, 이를 2007년 12월 제133호로 다시 발간을 시작하여, 매월 1회 발간해, 지난 연말에 〈300호〉를 발간했습니다. 편집진은 6명으로 구성해, 매월 말일 발간하는데, 요즘은 약 20페이지 내외로 인터넷판으로 발간하고 있습니다. 배포하는 곳은 카톡 회원들이나, 이메일 리스트를 통해 약 1,000곳에 배포하고 있습니다. 무가지입니다. 회원님들의 글을 실을 때도 있고, 국제 행사를 알리는 등, 국제적으로 부산을 알리는 역할을 해 오고 있습니다. 제가 편집 대표로 되어 있어, 다음 세대의 편집인 양성을 위해 애를 써야 하는 시점이 되었습니다. 그러다가 몇 번의 특종(?)도 있었습니다. 한국 사람은 가기 어려운 북한 소식을 다른 나라 에스페란티스토의 글을 통해 전해 듣고, 이를 저희 〈테라니도〉 독자에게 알린 경우가 있고, 최근에는 부산일보 백현충 기자님의 제안으로 〈러시아 침공

을 받아 전쟁의 소용돌이에 빠진 우크라이나 전쟁〉
소식도 생생하게 자세히 들을 수 있었습니다. 부산
일보에 난 〈우크라이나 편지〉 기사를 페이스북을
통해 본 폴란드 유치원 선생님이 〈폴란드에 피난
온 우크라이나 난민 이야기〉도 생생히 들을 수 있
었습니다."

또 다른 질문이 있었습니다: "이번에 우크라이
나와 폴란드에서 부산일보로 편지를 보내왔는데,
보내온 과정에 대해 좀 더 소개해 달라. 이분들이
원래 한국에 관심이 많으셨던 건가요?"

앞서도 말씀드렸지만, 우크라이나 시인 페트로
팔리보다 (Petro Palivoda)씨는 여러 해에 걸쳐
제가 그분의 번역 작품을 〈테라니도〉에 번역 소개
한 적이 있고, 지난 3월 그분의 작품 『반려 고양이
플로로(Kato Floro)』가 서울 진달래출판사에서 발
간되었습니다. 그러다가 부산일보 백현충 기자님
께 그 책을 비롯해 그간의 제 번역작업을 소개하러
들렀는데, 백현충 기자님은 2007년 〈지구촌 이메
일 인터뷰〉 시리즈를 기획, 연재한 바 있는데, 당시
에스페란토 관련 인물 여러분이 소개되었습니다.
그때 저는 백현충 기자의 문의 사항을 에스페란토
로 번역한 인연이 있습니다. 올해에도 백 기자님은
부산일보에 러시아의 침공으로 전란에 빠진 우크

라이나 상황을 부산일보 독자들에게 한 번 알리는 것이 어떤가 하는 제안을 했습니다. 그래서 우크라이나 시인 페트로 팔리보다 씨에게 연락했더니, 흔쾌히 그 기사를 보내오고, 신문에 쓸 사진 작품도 함께 보내왔습니다.

그런데, 그 부산일보에 난 〈우크라이나에서 온 편지〉를 페이스북을 통해 읽은 폴란드 토룬(Torun) 시 초등학교의 유치부 교사 그라지나 슈브리친스카(Grażyna Szubryczyńska)님이 기대치 않았는데도, 자신의 체험담을 보내줘서 정말 즐겁게 번역했습니다. 그분과는 2017년 7월 서울에서 열린 제102차 세계에스페란토대회 때 만난 인연이 이어진 것입니다. 당시 저는 폴란드 작품 –여성의 일생을 다룬 장편 소설 『마르타(Marta)』(엘리자 오제슈코바 지음, 자멘호프 에스페란토 번역, 장정렬 번역, 2016년) –을 국어로 번역해 부산 산지니출판사에서 출간한 적이 있어, 그 폴란드 에스페란토 사용자를 만나자마자, 제가 번역한 한국어 번역본 『마르타(Marta)』를 들고 그분과 함께 사진을 찍은 것이 인연의 처음이었습니다. 그런 인연은 부산일보에까지 연결되었습니다.

이 소식을 들은 『바벨탑에 도전한 사나이(Homo, kiu defiis Babelturon)』(2005년, 한국에스페란토협회 공역, 한국외국어대학교 출판, 2005년)의 공저자인 프랑스 지식인 앙리 마송

(Henri Masson) 씨께도 이와 유사한 제안을 제가 해두었습니다.

그렇게 부산일보에 일련의 기사들이 나간 뒤, 5월 중순에는 부산 영어 방송국에서 저를 인터뷰하겠다고 연락이 왔습니다. 저는 책가방을 둘러메고, 부산지부 조대환(Maro) 지부장님과 함께 방송국 스튜디오에 들어서게 되었습니다. 떨리는 순간이지요. 몇 년 전 3월 초였을 겁니다. 세계여성의 날을 앞두고, 부산대학교 방송국에서 제가 번역하고 산지니 출판사가 발간한 『마르타(Marta)』를 소개한 인터뷰가 생각이 나더군요.

지난 5월의 부산영어방송국 인터뷰는 5월 19일 목요일 오전 11시에 시작해 30분간 진행되었습니다.   홈페이지
(
https://www.befm.or.kr/program/template.
php?midx=89&pg=worldwide&cn=scent&mode=view&page=4&intnum=32424)를   통해서나,   유튜브(https://youtu.be/HLmGIBtLsS0)를 통해 들을 수 있습니다.

그 방송국 인터뷰 중 질문 하나를 소개하고 싶습니다.

"부산에 날아든 두 통의 편지는, 에스페란토어가 평화의 언어, 평등의 언어라는 수식어에 걸맞게 활용된 좋은 예가 아닐까 싶어요. 편지를 번역할 때 어떤 기분이 드셨나요?"

제 답변은 이러했습니다:

"러시아 침공으로 어려움을 겪고 있는 우크라이나에 대해서, 우리 시민도 국제 사회 일원으로서 전쟁의 시기가 끝나고, 평화의 시대가 오기를 바라면서 어려움을 당하고 있는 우크라이나에 연대감과 박애 정신을 보일 필요가 있지 않을까 생각했습니다. 전란에 휩싸인 우크라이나 아이들은 자신이 자유롭게 다니던 학교에도 가지 못하고, 시민들은 러시아군대가 쏘아대는 포탄이나 탱크에 대피할 곳도 찾지 못해 어쩔 줄 몰라 하고, 희생자가 생기고, 자신의 거주지를 떠나 다른 나라로 피난해야 하는 상황은 지난 세기에 우리나라가 겪은 6.25전쟁을 떠올리게 되더군요. 평화가 얼마나 소중한지를 우크라이나 시인과 폴란드 교사의 기고문을 통해 다시 한번 느꼈습니다. 또 그렇게 자신의 위치에서 조국의 어려운 상황을 차분하게 국제 사회에 알리려는 그 시인의 애국심에도 감동이었습니다."

이제 이 전쟁에 휩싸인 우크라이나 친구들을 생

각하며 이 글을 이어갑니다.

2022년 2월 27일입니다. 지난 2월 24일 오전 5시 러시아가 우크라이나를 침공했다는 뉴스를 듣고서, 과연 역사의 수레바퀴가 다시 옛 소련 시대로의 회귀를 위한 시동인가 하는 의문을 갖게 합니다. 19세기부터 러시아로부터 독립을 염원해온 우크라이나, 1991년 12월 구소련으로부터 독립한 독립국 우크라이나.
우크라이나 국민의 안녕과 건강을 기원합니다.

애독자 여러분이 들고 있는 〈제1부〉 시집 〈시계추 Pendolo〉는 우크라이나 시인이자 에스페란토 시인인 페트로 팔리보다(Petro Palivoda)의 시 작품 모음입니다. 우크라이나 시인이자 번역가이자 영어 교사인 페트로 팔리보다 씨는 틈틈이 자신의 작품을 저희 TERanidO 편집부에 보내면서 한국어로 소개하고 싶었습니다.
작가 페트로 팔리보다 선생님은 이번에는 자신의 시를 통해 사회에 대한 깊은 이해와 사랑을 보여주고 있습니다.

작품 중 〈시계추〉, 〈민들레 영토〉, 〈동박새〉와 〈신기한 일〉이라는 시는 작가의 삶을 잘 보여 주고 있는 수작이라고 저는 봅니다.

독자도 이 작가의 시집을 읽으면, 자신에게 감명받을 만한 특별한 관점의 작품을 발견할 수 있을 겁니다.

민들레 영토

세상에 아무 일도 일어나지 않았지.
민들레 꽃만 사라졌거든.
굴러가는 육중한 트랙터 바퀴에
부딪히지도 않았는데
민들레가 땅속에 고꾸라졌네.

공중에 작은 민들레 홀씨 하나 보이네.
홀씨는 오랫동안 땅에 내려서지 못하네.

이삿짐 차량이 출발하기 전에

방 안의 사방 벽은
휑하니 아무 말이 없다.
못이 박힌 자리 여기저기는
검정풍뎅이들처럼
휑하니 토끼 같은 햇볕을 물고 있다.
누가 이 방안을 둘러보면
이리 말하겠네:

횅하니 삭막한 곳이군…

신기한 일

....
어제 고드름에서
물방울 하나가
아래로 떨어져
내 얼굴을 때렸다.

이제야 나는
이 겨울의 감옥에서
번쩍 생각이 드네:
그대가 돌아왔구나.

이 작품과 관련하여 우크라이나 번역가 페트로 팔리보다(Petro Palivoda)씨와 교류는 2017년으로 거슬러 올라갑니다.

한국에스페란토협회 부산지부 회보 〈TERanidO〉의 편집자인 저는 그해 10월 우크라이나 역자에게서 크리스티나 작품 2편(〈검댕이 일꾼〉과 〈두더지〉)을 이메일로 받았습니다.

그때 그는 이렇게 자신을 소개했습니다.

"Karaj amikoj!

Mia nomo estas Petro Palivoda, mi estas ukraina kaj esperanta poeto kaj tradukanto. Antaŭ nelonge mi elukrainigis kelkajn rakontojn de nuntempa ukraina verkistino, laŭreato de kelkaj literatiraj konkursoj Ĥristina Kozlovska. Mi sendas al vi miajn tradukojn kai estus feliĉa se vi povus aperigi ilin en via belega revuo TERanidO."

그 뒤 반려 고양이 〈꽃〉을 보내 왔고, 〈예티오〉를 보내주었습니다,

2020년 1월에는 〈꽃〉과 〈도마뱀〉 등의 삽화도 보내 주었습니다. 1월 25일에는 여러 작품의 영어번역을 동시에 보내 주기도 했습니다. 또한 〈꽃〉의 삽화(우크라이나 화가 Natalia Pendjur 작품)와, 또 다른 삽화(우크라이나 화가 Oleh Loburak 작품)를 보내 주었습니다. 그때 〈은행원〉과 〈도마뱀〉 2편도 보내 주었습니다. 그때에는 이와 같은 메시지도 함께 보내 주었습니다.

"Kara Ombro! ...Mi havas kelkajn ilustraĵojn al la rakontoj de Ĥristina Kozlovska. Por la rakonto "Floro" ilustraĵon faris ukraina pentristino Natalia Pendjur, kaj por la aliaj - ukraina pentristo Oleh Loburak. Eble iuj el ili povus esti uzitaj en la libro. Krome mi havas ankoraŭ kelkajn aliajn rakontojn de sinjorino Ĥristina en Esperanto kaj en la angla lingvo kiujn mi tradukis. ..."

"Kara Ombro, mi sendas al vi pliajn rakontojn de Ĥristina, kiujn mi esperantigis. La Bankoficisto estis aperigita en Beletra Almanako. Mi kunsendas ilustraĵon al Lacerto kaj foton de la aŭtorino. Eble vi povus uzi ĝin en la libro."

같은 해 12월에는 〈브리오슈〉를 보내왔습니다.

"Dankon, kara Ombro! Ni esperu! Antaŭ nelonge mi tradukis ankoraŭ unu rakonton de Ĥristina Kozlovska. Mi sendas ĝin al vi. Eble ĝi povus esti interesa por vi."

그렇게 크리스티나 코즈로브스카의 작품이 모아지고, 한국어 번역본이 준비되었습니다. '코로나 19'가 닥쳐 어려움을 겪는 중, 이 번역본 발간을 준비하는 시점에, 우크라이나는 러시아의 침공으로 전쟁에 휘말려 있습니다.

올해 2월 27일 우크라이나 번역가 페트로 씨는 안타까운 편지를 보내왔습니다.

"Saluton, kara Ombro! Estas milito en Ukrainio. Fia kaj aĉa Rusio atakis nin, sed ni esperas al nia venko, estas malfacile Dankon pro viaj tradukaĵoj de Lesja Ukrainka, mi transsendis ilin al la profesorino. Mi sendas al vi tri fotojn kiujn mi povis trovi. Eble poste mi skribos ion kion vi petis, sed mi ne scias ĝuste, ĉu mi povos... "라며, 러시아가 우크라이나를 침공했다고 하면서, 전시에는 이메일 쓰기가 때로는 힘들다는 것도 알려 주고 있습니다.

우크라이나에 평화가 하루속히 다시 자리하기를 기원해 봅니다.

한국어 역자나 이 책 출판 의도는 세계평화를 기원하는 에스페란토 정신에 입각해 있습니다.

번역가이자 시인 페트로 팔리보다 작가의 문학적 관점이 한국 독자 관심과 맞는지도 한 번 살펴 봐 주실 것을 권합니다.

이 책의 발간을 위해 애를 쓰신 진달래 출판사 관계자 여러분께 깊은 감사를 드립니다.

번역을 늘 응원하는 가족에게도 고마움의 인사

를 드립니다.

저자나 번역자에게 이 작품집을 애독하신 감상문을 이메일(suflora@hanmail.net)로 보내 주시면 제가 감사히 읽겠습니다.

2023. 08.
우크라이나에 평화가 다시 깃들기를 기원하며,
역자 올림

옮긴이 소개

장정렬 (Jang Jeong-Ryeol(Ombro))

1961년 창원에서 태어나 부산대학교 공과대학 기계공학과를 졸업하고, 1988년 한국외국어대학교 경영대학원 통상학과를 졸업했다. 현재 국제어 에스페란토 전문번역가와 강사로 활동하며, 한국 에스페란토협회 교육 이사를 역임하고, 에스페란토어 작가협회 회원으로 초대된 바 있다. 1980년 에스페란토를 학습하기 시작했으며, 에스페란토 잡지 La Espero el Koreujo, TERanO, TERanidO 편집위원, 한국에스페란토청년회 회장을 역임했다. 거제대학교 초빙교수, 동부산대학교 외래 교수로 일했다. 현재 한국에스페란토협회 부산지부 회보 'TERanidO'의 편집장이다. 세계에스페란토협회 아동문학 '올해의 책' 선정 위원이기도 하다.

역자의 번역 작품 목록

　-한국어로 번역한 도서

　『초급에스페란토』(티보르 세켈리 등 공저, 한국에스페란토청년회, 도서출판 지평),

　『가을 속의 봄』(율리오 바기 지음, 갈무리출판사),

　『봄 속의 가을』(바진 지음, 갈무리출판사),

　『산촌』(예쥔젠 지음, 갈무리출판사),

　『초록의 마음』(율리오 바기 지음, 갈무리출판사),

　『정글의 아들 쿠메와와』(티보르 세켈리 지음, 실천문학사)

　『세계민족시집』(티보르 세켈리 등 공저, 실천문학사),

　『꼬마 구두장이 흘라피치』(이봐나 브를리치 마주라니치 지음, 산지니출판사)

　『마르타』(엘리자 오제슈코바 지음, 산지니출판사)

　『사랑이 흐르는 곳, 그곳이 나의 조국』(정사섭 지음, 문민)(공역)

　『바벨탑에 도전한 사나이』(르네 쌍타씨, 앙리 마쏭 공저, 한국외국어대학교 출판부) (공역)

　『에로센코　전집(1-3)』(부산에스페란토문화원

발간)

-에스페란토로 번역한 도서
『비밀의 화원』(고은주 지음, 한국에스페란토협회 기관지)

『벌판 위의 빈집』(신경숙 지음, 한국에스페란토협회)

『님의 침묵』(한용운 지음, 한국에스페란토협회 기관지)

『하늘과 바람과 별과 시』(윤동주 지음, 도서출판 삼아)

『언니의 폐경』(김훈 지음, 한국에스페란토협회)

『미래를 여는 역사』(한중일 공동 역사교과서, 한중일 에스페란토협회 공동발간) (공역)

-인터넷 자료의 한국어 번역
www.lernu.net의 한국어 번역
www.cursodeesperanto.com.br의   한국어 번역
Pasporto al la Tuta Mondo(학습교재 CD 번역)

https://youtu.be/rOfbbEax5cA (25편의 세계에스페란토고전   단편소설   소개   강연:2021.09.29. 한국에스페란토협회 초청 특강)

〈진달래 출판사 간행 역자 번역 목록〉

『파드마, 갠지스 강가의 어린 무용수』(Tibor Sekelj 지음, 장정렬 옮김, 진달래 출판사, 2021)

『테무친 대초원의 아들』(Tibor Sekelj 지음, 장정렬 옮김, 진달래 출판사, 2021)

〈세계에스페란토협회 선정 '올해의 아동도서'〉 『욤보르와 미키의 모험』(Julian Modest 지음, 장정렬 옮김, 진달래 출판사, 2021년)

아동 도서『대통령의 방문』(예지 자비에이스키 지음, 장정렬 옮김, 진달래 출판사, 2021년)

『국제어 에스페란토』(D-ro Esperanto 지음, 이영구. 장정렬 공역, 진달래 출판사, 2021년)

『헝가리 동화 황금 화살』(ELEK BENEDEK 지음, 장정렬 옮김, 진달래 출판사, 2021년)

알기쉽도록『육조단경』(혜능 지음, 왕숭방 에스페란토 옮김, 장정렬 에스페란토에서 옮김, 진달래 출판사, 2021년)

『크로아티아 전쟁체험기』(Spomenka Štimec 지음, 장정렬 옮김, 진달래 출판사, 2021년)

『상징주의 화가 호들러의 삶을 뒤쫓아』(Spomenka Štimec 지음, 장정렬 옮김, 진달래 출판사, 2021년)

『사랑과 죽음의 마지막 다리에 선 유럽 배우 틸라』(Spomenka Štimec 지음, 장정렬 옮김, 진달

래 출판사, 2021년)

『침실에서 들려주는 이야기』(Antoaneta Klobučar 지음, Davor Klobučar 에스페란토 역, 장정렬 옮김, 진달래 출판사, 2021년)

『희생자』(Julio Baghy 지음, 장정렬 옮김, 진달래 출판사, 2021년)

『피어린 땅에서』(Julio Baghy 지음, 장정렬 옮김, 진달래 출판사, 2021년)

『공포의 삼 남매』(Antoaneta Klobučar 지음, Davor Klobučar 에스페란토 역, 장정렬 옮김, 진달래 출판사, 2021년)

『우리 할머니의 동화』(Hasan Jakub Hasan 지음, 장정렬 옮김, 진달래 출판사, 2021년)

『얌부르그에는 총성이 울리지 않는다』(Mikaelo Bronŝtejn 지음, 장정렬 옮김, 진달래 출판사, 2022년)

『청년운동의 전설』(Mikaelo Bronŝtejn 지음, 장정렬 옮김, 진달래 출판사, 2022년)

『반려 고양이 플로로』(Ĥristina Kozlovska 지음, Petro Palivoda 에스페란토역, 장정렬 옮김, 진달래 출판사, 2022년)

『푸른 가슴에 희망을』(Julio Baghy 지음, 장정렬 옮김, 진달래 출판사, 2022년)

『민영화 도시 고블린스크』(Mikaelo Bronŝtejn 지음, 장정렬 옮김, 진달래 출판사,

2022년)

　『메타　스텔라에서　테라를　찾아　항해하다』
(Istvan Nemere 지음, 장정렬 옮김, 진달래 출판
사, 2022년)

　『세계인과 함께 읽는 님의 침묵』(한용운 지음,
장정렬 옮김, 진달래 출판사, 2022년)

　『살모사들의 둥지』(Istvan Nemere 지음, 장
정렬 옮김, 진달래 출판사, 2022년)

　『잊힌 사람들』(예쥔젠 지음 지음, 장정렬 옮김,
진달래 출판사, 2023년)

　『세계인과 함께 읽는 윤동주 시집』(윤동주 지
음 지음, 장정렬 옮김, 진달래 출판사, 2023년)

　『에스페란토 해설 도덕경』(왕숭방 에스페란토
옮김, 장정렬 옮김, 진달래 출판사, 2023년)

　『고립』(칼만 칼로차이 지음, 장정렬 옮김, 진달
래 출판사, 2023년)

　『아스마』(리스쥔 지음, 장정렬 옮김, 진달래 출
판사, 2023년)

〚 진달래 출판사 간행목록 〛

율리안 모데스트의 에스페란토 원작 소설
- 에한대역본
『바다별』, 『사랑과 증오』, 『꿈의 사냥꾼』
『내 목소리를 잊지 마세요』, 『살인경고』
『상어와 함께 춤을』, 『수수께끼의 보물』
『고요한 아침』, 『공원에서의 살인』
『철(鐵) 새』, 『인생의 오솔길을 지나』
『5월 비』, 『브라운 박사는 우리 안에 산다』
『신비로운 빛』, 『살인자를 찾지 마라』
『황금의 포세이돈』, 『세기의 발명』
『꿈속에서 헤매기』,

클로드 피롱의 에스페란토 원작 소설
- 에한대역본
『게르다가 사라졌다』, 『백작 부인의 납치』

이낙기 번역가의 에스페란토 번역서
- 에한대역본
『오가이 단편선집』, 『체르노빌1, 2』

박기완 박사의 에스페란토 번역서
『처음 에스페란토』, 『에스페란토 규범』